中华人民共和国国家标准

岩土工程基本术语标准

Standard for fundamental terms
of geotechnical engineering

GB/T 50279-2014

主编部门：中 华 人 民 共 和 国 水 利 部
批准部门：中华人民共和国住房和城乡建设部
施行日期：2 0 1 5 年 8 月 1 日

中国计划出版社

2014 北 京

中华人民共和国国家标准
岩土工程基本术语标准
GB/T 50279-2014
☆
中国计划出版社出版发行
网址：www.jhpress.com
地址：北京市西城区木樨地北里甲11号国宏大厦C座4层
邮政编码：100038 电话：(010) 63906433 (发行部)
北京市科星印刷有限责任公司印刷

850mm×1168mm 1/32 6.25印张 160千字
2015年6月第1版 2024年10月第2次印刷
☆
统一书号：1580242·663
定价：38.00元

版权所有 侵权必究
侵权举报电话：(010) 63906404
如有印装质量问题，请寄本社出版部调换

中华人民共和国住房和城乡建设部公告

第 593 号

住房城乡建设部关于发布国家标准《岩土工程基本术语标准》的公告

现批准《岩土工程基本术语标准》为国家标准,编号为 GB/T 50279—2014,自 2015 年 8 月 1 日起实施。原国家标准《岩土工程基本术语标准》GB/T 50279—98 同时废止。

本标准由我部标准定额研究所组织中国计划出版社出版发行。

中华人民共和国住房和城乡建设部
2014 年 12 月 2 日

前　言

本标准是根据住房城乡建设部《关于印发〈2010年工程建设标准规范制订、修订计划〉的通知》（建标〔2010〕43号），由水利部水利水电规划设计总院和南京水利科学研究院会同有关单位在《岩土工程基本术语标准》GB/T 50279—98的基础上共同修订完成。

本标准共12章和2个附录，主要技术内容包括：总则、一般术语、工程勘察、岩土基本特性与室内试验、基本理论与计算分析、岩土体加固与处理、基础工程、土石方工程、地下工程与基坑工程、边坡工程、环境岩土工程、近海与海岸岩土工程等。

本次修订的主要内容：调整了部分章节和术语的编排次序，相应地调整框架结构；在"一般术语"、"工程勘察"、"岩土基本特性与室内试验"、"岩土体加固与处理"、"土石方工程"和"地下工程与基坑工程"等章节中删减、调整及增编了相应的基本术语；增加"基本理论与计算分析"、"基础工程"、"边坡工程"、"环境岩土工程"和"近海与海岸岩土工程"等章节内容，增编相应的术语，并调整部分原术语至新增章节中；将原"分析与计算"中的部分术语及部分新增术语增编组成"基本理论与计算分析"一章；将原"不良地质现象"中的部分术语列入新增"环境岩土工程"一章中；删减与当前技术发展水平不协调、不适应的术语。

本标准由住房城乡建设部负责管理，水利部负责日常管理，水利部水利水电规划设计总院负责具体技术内容的解释。本标准在执行过程中，请各单位结合工程实践，认真总结经验，注意积累资料，如发现需要修改和补充之处，请将修改意见和有关资料反馈给水利部水利水电规划设计总院（地址：北京市西城区六铺炕北小街2-1号,邮政编码:100120,传真:010－63206755,电子邮件:jsbz@giwp.org.cn),以供今后修订时参考。

本标准主编单位、参编单位、主要起草人和主要审查人:

主编单位:水利部水利水电规划设计总院

南京水利科学研究院

参编单位:华北水利水电学院

中国铁道科学研究院

建设综合勘察研究设计院有限公司

南京大学

武汉大学

浙江大学

中国水利水电科学研究院

同济大学

河海大学

主要起草人:蔡正银　刘汉东　刘国楠　毛尚之　李晓昭
周创兵　陈云敏　温彦锋　黄茂松　刘汉龙
杨守华　高长胜　周彦章　朱群峰　关云飞

主要审查人:高玉生　雷兴顺　鞠占斌　李广信　王正宏
赵成刚　胡再强　马贵生　路新景　滕延京
辛鸿博　唐建华

目　次

1 总　则 …………………………………………………（ 1 ）
2 一般术语 ………………………………………………（ 2 ）
3 工程勘察 ………………………………………………（ 4 ）
　3.1 地形、地貌 …………………………………………（ 4 ）
　3.2 岩土和地质构造 ……………………………………（ 5 ）
　3.3 水文地质 ……………………………………………（ 10 ）
　3.4 勘察方法 ……………………………………………（ 13 ）
　3.5 原位试验 ……………………………………………（ 15 ）
　3.6 勘察成果与评价 ……………………………………（ 18 ）
　3.7 现场监测与检测 ……………………………………（ 19 ）
4 岩土基本特性与室内试验 ……………………………（ 21 ）
　4.1 土的组成与分类 ……………………………………（ 21 ）
　4.2 土的基本特性与试验 ………………………………（ 24 ）
　4.3 岩体结构 ……………………………………………（ 33 ）
　4.4 岩石的基本特性与试验 ……………………………（ 34 ）
5 基本理论与计算分析 …………………………………（ 39 ）
　5.1 基本理论与方法 ……………………………………（ 39 ）
　5.2 计算分析 ……………………………………………（ 41 ）
6 岩土体加固与处理 ……………………………………（ 48 ）
　6.1 处理方法 ……………………………………………（ 48 ）
　6.2 置换 …………………………………………………（ 49 ）
　6.3 振密与挤密 …………………………………………（ 50 ）
　6.4 排水固结 ……………………………………………（ 50 ）
　6.5 灌入固化物 …………………………………………（ 51 ）

6.6 加筋 ……………………………………………………（53）
6.7 纠倾与托换 ……………………………………………（53）
6.8 复合地基 ………………………………………………（54）
6.9 土工合成材料 …………………………………………（56）
6.10 岩土锚固 ……………………………………………（58）
7 基础工程 ……………………………………………………（59）
7.1 基础类型 ………………………………………………（59）
7.2 扩展基础 ………………………………………………（60）
7.3 筏形基础和箱形基础 …………………………………（61）
7.4 桩基础 …………………………………………………（61）
8 土石方工程 …………………………………………………（65）
8.1 土工构筑物 ……………………………………………（65）
8.2 施工技术与方法 ………………………………………（70）
9 地下工程与基坑工程 ………………………………………（73）
9.1 地下空间 ………………………………………………（73）
9.2 地下工程 ………………………………………………（74）
9.3 基坑工程 ………………………………………………（77）
10 边坡工程 …………………………………………………（80）
10.1 边坡及其破坏形式 …………………………………（80）
10.2 边坡稳定性分析 ……………………………………（81）
10.3 边坡设计与加固 ……………………………………（82）
10.4 边坡监测与预报 ……………………………………（85）
11 环境岩土工程 ……………………………………………（86）
11.1 污染土处理 …………………………………………（86）
11.2 固体废弃物处理 ……………………………………（87）
11.3 不良地质作用 ………………………………………（88）
11.4 矿山环境与治理 ……………………………………（90）
12 近海与海岸岩土工程 ……………………………………（91）
12.1 近海与海岸地质、地貌 ……………………………（91）

12.2 近海与海岸构筑物 …………………………………（93）
附录 A 中文索引 …………………………………………（95）
附录 B 英文索引 …………………………………………（126）
本标准用词说明 …………………………………………（157）
引用标准名录 ……………………………………………（158）
附:条文说明 ………………………………………………（161）

Contents

1 General provisions ·· (1)
2 General terms ·· (2)
3 Engineering investigation ··· (4)
   3.1 Topography and geomorphology ································· (4)
   3.2 Geotechnical and geological structure ·························· (5)
   3.3 Hydrogeology ·· (10)
   3.4 Investigation methods ·· (13)
   3.5 In-situ test ··· (15)
   3.6 Investigation achievements and evaluation ····················· (18)
   3.7 In-situ monitoring and inspection ······························ (19)
4 Basic characteristics and laboratory test ···························· (21)
   4.1 Soil composition and classification ····························· (21)
   4.2 Soil basic characteristics and laboratory test ··················· (24)
   4.3 Rock mass structure ··· (33)
   4.4 Rock basic characteristics and laboratory test ·················· (34)
5 Basic theories and calculation ·· (39)
   5.1 Basic theories ·· (39)
   5.2 Calculation and analysis ·· (41)
6 Reinforcement for rock and soil ······································ (48)
   6.1 Reinforcement methods ·· (48)
   6.2 Replacement ·· (49)
   6.3 Vibro-compaction and densification ····························· (50)
   6.4 Drainage consolidation ··· (50)
   6.5 Grouting consolidation ··· (51)

	6.6	Reinforcement	(53)
	6.7	Rectification and underpinning	(53)
	6.8	Composite subgrade	(54)
	6.9	Geosynthetics	(56)
	6.10	Geotechnical anchorage	(58)
7	Foundation engineering		(59)
	7.1	Foundation types	(59)
	7.2	Spread foundation	(60)
	7.3	Raft foundation and box foundation	(61)
	7.4	Pile foundation	(61)
8	Earthwork engineering		(65)
	8.1	Geotechnical structures	(65)
	8.2	Construction technology and methods	(70)
9	Underground and foundation pit engineering		(73)
	9.1	Underground space	(73)
	9.2	Underground engineering	(74)
	9.3	Foundation pit engineering	(77)
10	Slope engineering		(80)
	10.1	Slope failure mode	(80)
	10.2	Slope stability analysis	(81)
	10.3	Slope design and reinforcement	(82)
	10.4	Slope monitoring and prediction	(85)
11	Geoenvironmental engineering		(86)
	11.1	Contaminated soil treatment	(86)
	11.2	Solid waste treatment	(87)
	11.3	Adverse geological process	(88)
	11.4	Mine environment and control	(90)
12	Offshore and coastal geotechnical engineering		(91)
	12.1	Offshore and coastal geomorphology	(91)

12.2　Offshore and coastal structures ……………………（93）
Appendix A　Chinese Index ………………………………（95）
Appendix B　English Index ………………………………（126）
Explanation of wording in this standard ………………（157）
List of quoted standards …………………………………（158）
Addition: Explanation of provisions ……………………（161）

1 总　　则

1.0.1 为统一我国岩土工程术语及释义,便于该领域国内外技术合作与交流,实现专业术语的标准化,制定本标准。

1.0.2 本标准适用于岩土工程的勘察、设计、施工、监测、检测以及试验研究等有关领域。

1.0.3 岩土工程术语除应符合本标准外,尚应符合其他国家现行有关标准的规定。

2 一般术语

2.0.1 岩土工程　geotechnical engineering
土木工程中涉及岩石和土的利用、整治或改造的科学技术。

2.0.2 土力学　soil mechanics
研究土的物理力学性质及土体在荷载、水和温度等因素作用下力学行为的应用学科。

2.0.3 岩石力学　rock mechanics
研究岩石的物理力学性质及岩体在荷载、水和温度等因素作用下力学行为的应用学科。

2.0.4 土动力学　soil dynamics
研究动力作用下土的性状、应力波在土体内传播规律及土体动力反应的应用学科。

2.0.5 非饱和土力学　unsaturated soil mechanics
研究非饱和土的物理力学性质及非饱和土体在荷载、水和温度等因素作用下力学行为的应用学科。

2.0.6 工程地质学　engineering geology
研究与工程建设有关地质问题的学科。

2.0.7 水文地质学　hydrogeology
研究地下水的数量和质量随空间和时间变化的规律,以及合理利用地下水或防治其危害的学科。

2.0.8 地下水动力学　groundwater dynamics
研究地下水在岩、土孔隙及裂隙中运动规律的学科。

2.0.9 环境岩土工程　geoenvironmental engineering
应用岩石力学、土力学的基本理论、技术和方法,研究和解决与环境有关的岩土工程问题,为治理和保护环境服务的科学技术。

2.0.10 灾害地质学　disaster geology
　　研究火山、地震、滑坡、崩塌、泥石流和区域性地下水位变化等地质灾害或不良地质作用的形成、发展和防治的学科。
2.0.11 流变学　rheology
　　从应力、应变、温度和时间等方面来研究物质变形和(或)流动的物理力学学科。
2.0.12 散体力学　mechanics of granular media
　　研究散粒集合体受力时的极限平衡和运动规律的学科。

3 工程勘察

3.1 地形、地貌

3.1.1 地貌　geomorphology
由地球内、外营力综合作用而形成的地表起伏形态。

3.1.2 地貌单元　landform unit
地貌按成因、形态及发展过程划分的单位。

3.1.3 平原　plain
地表面平坦宽广、地面高差和倾斜角较小的地貌地区,一般海拔高度小于500m。

3.1.4 山地　mountain
地表面起伏显著、群山连绵交错、地面高差和倾斜角较大的地貌地区。

3.1.5 高原　plateau
面积较大、顶面相对平坦、一侧或数侧为陡坡的地貌地区,一般海拔高度大于500m。

3.1.6 丘陵　hill
海拔高度500m以下,相对高差小于200m,地表面平缓、山顶浑圆、起伏连绵的低矮隆起地貌地区。

3.1.7 盆地　basin
周围山岭环绕、中间低平的盆状地貌地区。

3.1.8 河谷阶地　fluvial terrace
河流下切侵蚀和堆积作用交替进行,在河谷两岸形成的高出洪水位的台阶状地貌。

3.1.9 冲积扇　alluvial fan
山地河流出口处因水流速度降低,部分挟带的碎屑物质经分选、沉积而形成的扇形地带。

3.1.10 洪积扇　diluvial fan
山区季节性或突发性洪流将碎屑物质携带至山谷出口处,因坡降剧减、水流分散、水量减少而堆积形成的扇形地带,其组成物质分选性差。

3.1.11 坡积裙　talus apron
坡积物沿山麓分布形似裙边的堆积地形。

3.1.12 岩溶　karst
可溶性岩石受水和二氧化碳溶蚀、侵蚀形成的各种地质现象和地貌形态的总称,又称喀斯特。

3.2 岩土和地质构造

3.2.1 地质环境　geologic environment
由地壳岩石圈与大气圈、水圈、生物圈相互作用而形成的环境空间。

3.2.2 地质环境要素　geologic environmental element
组成和影响地质环境的岩石、土、地表水、地下水、地质构造及各种地质作用等因素的总称。

3.2.3 岩石　rock
天然形成的具有一定结构构造的单一或多种矿物或碎屑物的集合体。

3.2.4 岩体　rock mass
赋存于一定地质环境,含不连续结构面且具有一定工程地质特征的岩石综合体。

3.2.5 岩浆岩　magmatic rock,igneous rock
岩浆侵入地壳或喷出地表经冷却、凝固、结晶等过程而形成的岩石,又称火成岩。

3.2.6 沉积岩　sedimentary rock
岩石、土经风化、侵蚀、搬运、堆积、成岩等外力作用形成的岩石。

3.2.7 变质岩　metamorphic rock

地壳中原有的岩石受构造运动、岩浆活动或地壳内热流变化等内营力影响,使其矿物成分、结构构造发生不同程度的变化而形成的岩石。

3.2.8 新鲜岩石　fresh rock

未经风化作用的岩石。

3.2.9 完整岩石　intact rock

基本未被不连续结构面分割的岩体。

3.2.10 风化岩　weathered rock

因物理、化学和生物等风化营力作用,原生岩石发生分解破碎,且结构、成分和性质产生不同程度变化的岩石。

3.2.11 基岩　bedrock

地球陆地表面疏松物质(土壤和底土)下的坚硬岩层。

3.2.12 土　soil

矿物或岩石碎屑构成的散粒集合体。

3.2.13 土体　soil mass

具有一定规模和工程地质特征的土层或土层综合体。

3.2.14 残积土　residual soil

岩石风化后未经搬运,残留在原地形成的土。

3.2.15 坡积土　slope wash

山坡上方的碎屑物质在水流或重力作用下运移到坡下或山麓处堆积形成的土。

3.2.16 洪积土　diluvial soil

由暂时性洪流将碎屑物质携带至平缓地带堆积而成的土。

3.2.17 冲积土　alluvial soil

碎屑物质经水流搬运,在谷地、平原及河口地带堆积而成的土。

3.2.18 风积土　aeolian deposit

碎屑物质经风力搬运至异地降落、堆积而成的土。

3.2.19 海积土　marine soil
海底环境中沉积形成的土。

3.2.20 冰碛土　moraine soil, drifted soil
碎屑物在冰期被冰裹挟，间冰期因气温升高、冰体融化堆积而形成的土。

3.2.21 特殊性土　special soil
具有特殊成分、结构、构造或特殊物理力学性质的土，如黄土、红黏土、分散性土、膨胀土、冻土等。

3.2.22 淤泥　muck
在静水或缓慢流水环境中沉积，经生物化学作用形成，天然含水量大于液限，孔隙比大于1.5的黏性土。

3.2.23 淤泥质土　mucky soil
在静水或缓慢流水环境中沉积，经生物化学作用形成，天然含水量大于液限，孔隙比大于或等于1.0、小于1.5的黏性土或粉土。

3.2.24 黄土　loess
主要由粉粒组成，呈棕黄、灰黄或黄褐色，一般具有多孔性、大孔隙和垂直节理的土。

3.2.25 湿陷性土　collapsible soil
结构疏松、胶结相对较弱，在一定压力下浸水时，结构迅速破坏而发生显著附加下沉的土。

3.2.26 红黏土　red clay
碳酸盐岩系出露区的岩石经过比较充分的化学风化作用形成的颜色为棕红色或褐黄色，残坡积或经过搬运再沉积，以团粒结构形式存在，液限大于或等于50%的高塑性黏土。

3.2.27 分散性土　dispersive soil
钠、钾离子含量较高，遇水尤其是纯水容易分散成散粒结构的土。

3.2.28 膨胀岩　expansive rock

含有大量亲水性矿物,湿度变化时有较大体积变化,变形受约束时产生较大内应力的岩石。

3.2.29 膨胀土　expansive soil

富含亲水性矿物,有明显的吸水膨胀、失水收缩特性的高塑性土。

3.2.30 盐渍土　saline soil

土中易溶盐含量较高,并具有溶陷、盐胀、腐蚀等工程特性的土。

3.2.31 有机质土　organic soil

有机质含量大于或等于5%、小于或等于10%的土。

3.2.32 冻土　frozen soil

温度低于0℃且土中水结冰,处于冻结状态的土。

3.2.33 多年冻土　perennially frozen soil

含有固态水,且冻结状态持续两年或两年以上的土。

3.2.34 季节冻土　seasonally frozen soil

随季节冻结和融化的土。

3.2.35 填土　fill

由于人类活动而堆积的土,物质成分较杂乱,均匀性差。根据组成物质或堆积方式可分为素填土、杂填土、冲填土及压实填土等。

3.2.36 素填土　plain fill

由碎石土、砂土、粉土和黏性土等一种或几种组成的填土,不含或含少量杂质。

3.2.37 杂填土　miscellaneous fill, rubbish fill

不同成分和性质各异的多种土经无规划堆积而形成的填土,通常含有大量建筑垃圾、工业废料或生活垃圾等杂物。

3.2.38 冲填土　hydraulic fill, dredger fill

由水力将泥砂冲填到预定地点堆积形成的土,又称吹填土。

3.2.39 地质构造 geological structure

在地壳运动影响下,地层中产生的倾斜、弯曲、错动、断裂和破碎等变形和位移的形迹。

3.2.40 褶皱 folds

岩层受构造应力作用形成的连续弯曲现象。

3.2.41 褶曲 fold

岩层的弯曲形态,地质构造中褶皱的基本单位,即褶皱变动中岩层的一个弯曲。弯曲的中心部分称为核部,核部的两侧称为翼部。

3.2.42 背斜 anticline

岩层向上弯曲,侵蚀后核部岩层老,两翼岩层新且对称分布的褶曲构造。

3.2.43 向斜 syncline

岩层向下弯曲,侵蚀后核部岩层新,两翼岩层老且对称分布的褶曲构造。

3.2.44 断裂 rupture,fracture,fault

受地壳运动影响,岩体连续性遭到破坏而产生的破碎带和破裂面的总称,如裂隙、节理和断层等。

3.2.45 裂隙 fissure

岩体中产生的无明显位移的裂缝,属断裂构造的一种。

3.2.46 节理 joint

岩体中未发生位移的(包括实际的或潜在的)破裂面,按成因可分为原生节理、构造节理、非构造节理等。

3.2.47 断层 fault

岩体在内动力作用下断裂,并沿断裂面发生显著位移的构造变动形迹。

3.2.48 活断层 active fault

目前仍在活动或晚更新世以来有过活动,未来一定时间内仍有可能发生活动的断层。

3.2.49 破碎带　　fracture zone

岩体受挤压或发生断裂形成的破碎岩带,常有角砾、泥充填。

3.2.50 产状　　attitude, occurrence

岩层层面、节理面、断层面等结构面在空间的产出状态,以走向、倾向、倾角表示。

3.2.51 风化带　　weathered zone

地壳表层岩石按其风化程度,从表层向下分成为全风化、强风化、弱风化和微风化的层带。

3.3 水 文 地 质

3.3.1 地表水　　surface water

存在于地壳表面、暴露于大气的水,是河流、冰川、湖泊、沼泽四种水体的总称,亦称"陆地水"。

3.3.2 地下水　　groundwater

储存在地面以下岩石和土孔隙、裂隙及溶洞中的水。

3.3.3 上层滞水　　perched water

包气带中局部隔水层上积聚的重力水。

3.3.4 潜水　　phreatic water

地面下第一个稳定隔水层以上饱水带中具有自由水面的地下水。

3.3.5 承压水　　confined water

充满在上下两个隔水层之间的含水层中,测压水位高出其顶板的地下水。

3.3.6 层间水　　interlayer water

存在于上下两个隔水层之间的含水层中,无压或有压的地下水。

3.3.7 岩溶水　　water in Karst cave

赋存于可溶性岩的溶蚀裂隙和溶洞中的地下水。

3.3.8 裂隙水　　fissure water

赋存于岩体裂隙中的地下水。

3.3.9 含水层　aquifer

赋存地下水并具有导水性能，能够透过并给出一定水量的地层。

3.3.10 不透水层　impervious layer

地下水渗透率小到可以忽略不计的地层，又称隔水层、阻水层。

3.3.11 补给区　recharge area

含水层接受大气降水和地表水等入渗补给的地区。

3.3.12 径流区　run-off area

含水层的补给区至排泄区区间内地下水流经的范围。

3.3.13 地下径流　subsurface run-off

沿一定途径向排泄区流动的地下水。

3.3.14 水头　water head

含水层某处单位重量水的能量，以液柱高度表示，包括位置水头、压力水头和速度水头。

3.3.15 渗透系数　hydraulic conductivity, coefficient of permeability

岩土体中水渗流呈层流状态时，其流速与作用水力梯度成正比关系的比例系数，又称水力传导系数。

3.3.16 储水系数　storage coefficient

反映含水层水头下降或上升单位高度时，从单位水平面积和高度等于含水层厚度的柱体中释放或储存水体积能力的水文地质参数。

3.3.17 导水系数　transmissibility, coefficient of transmissivity

反映含水层导水能力的水文地质参数，数值上等于含水层渗透系数与其厚度的乘积。

3.3.18 给水度　specific yield

当潜水位下降一个单位水头时，被疏干含水层在重力作用下单位体积内所能排出的水量。

3.3.19 透水率　permeability rate

钻孔压水试验测得，表征岩体渗透性的指标，以吕荣值（Lu）为单位。1Lu 的定义为当试段压力为 1MPa 时，每米试段水的压入流量为 1L/min。

3.3.20 持水度　water retaining capacity

饱和岩土体在重力排水完全或基本停止时，单位体积中仍保持的水的体积，又称持水率。

3.3.21 容水度　water bearing capacity

岩土体中能容纳的水的最大体积与岩土体体积的比值。

3.3.22 影响半径　radius of influence

从抽水井至降落漏斗边缘的平均距离。

3.3.23 黏滞系数　coefficient of viscosity

线性黏性材料受剪流动时与温度有关的剪应力与流速梯度成正比的比例系数。

3.3.24 弥散系数　dispersion coefficient

反映进入地下水流中的可溶物质和浓度因弥散作用引起的随时间、空间变化的参数，数值上等于当浓度梯度等于 1 时，单位时间通过多孔介质单位面积的溶质质量。

3.3.25 地下水总矿化度　total mineralization of groundwater

地下水中所含各种离子、分子与化合物的总量，通常以 1 升水在 105℃～110℃下蒸干所得的干涸残余物的克数表示。

3.3.26 地下水硬度　groundwater hardness

反映地下水中含盐量的特性指标，其值为钙、镁、铁、锰、锶、铝等溶解盐类的总量，以毫克当量或德国度表示。

3.3.27 地下水腐蚀性　groundwater corrosivity

地下水因所含的酸碱物质或某种离子达到一定程度后，对钢结构或混凝土等发生腐蚀作用的性能，包括分解性腐蚀、结晶性腐蚀及分解结晶复合性腐蚀。

3.4 勘察方法

3.4.1 岩土工程勘察　geotechnical investigation

采用工程地质测绘、勘探、测试、分析等手段,对工程选址、设计、施工和运营中的岩土工程问题进行调查研究和分析评价等工作。

3.4.2 工程地质测绘　engineering geological mapping

对勘察场地及附近的工程地质条件进行现场观察、量测和描述,并将有关工程地质要素以图示、符号表示在地形图上的勘察工作方法。

3.4.3 工程测量　engineering survey

工程建设的勘察设计、施工和运营管理各阶段,应用测绘理论和技术进行的各种测量工作。

3.4.4 水文地质勘查　hydrogeological investigation

以开发或控制地下水为目的而进行的水文地质测绘、地下水勘探、地下水动态观测、地下水资源评价以及为合理开采和管理地下水而进行的试验、监测与分析研究等工作。

3.4.5 钻探　drilling

利用钻进设备向地层内钻孔,通过采集岩芯或观察井壁,取得地下一定深度内的工程地质资料的勘探工作。

3.4.6 岩芯采取率　core recovery

钻探中每个回次取得的岩芯长度与该回次钻探进尺的比值,以百分数表示。岩芯长度包括比较完整的岩芯和破碎的碎块、碎屑。

3.4.7 岩芯获得率　core obtained rate

钻探中取得的比较完整的岩芯长度与进尺的百分比,以百分数表示,初步判别岩体完整程度。比较完整的岩芯是指可以拼成柱状的岩芯。

3.4.8 取土器　soil sampler

采取不扰动土样的专用器具。

3.4.9 薄壁取土器　thin wall sampler

内径 75mm～100mm,面积比小于或等于 10%(内间隙比为 0)或大于 10% 且小于 13%(内间隙比为 0.5～1.0)的无衬管取土器。

3.4.10 厚壁取土器　thick wall sampler

内径 75mm～100mm,面积比在 13%～20% 之间的有衬管取土器。

3.4.11 不扰动土样　undisturbed soil sample

天然结构和含水量等指标相对保持不变的土样,也称原状土样。

3.4.12 扰动土样　disturbed soil sample

天然结构受到破坏或含水量等指标发生改变的土样。

3.4.13 坑探　pit exploration

采用开挖探坑的方法查明地质情况的一种勘探手段。开挖成具有一定深度和长度的沟槽时称槽探,开挖成平硐时称硐探,开挖成井状时称竖井。

3.4.14 地球物理勘探　geophysical exploration

借助仪器观测人工或天然物理场的分布、变化,并综合分析所获得的资料,从而推断、解释岩土体分布和性质或地质构造情况的勘探方法,简称物探。

3.4.15 电法勘探　electrical exploration

利用仪器对岩土的电学性质及电场、电磁场进行探测,并对资料进行分析研究的地球物理勘探方法。

3.4.16 磁法勘探　magnetic exploration

利用仪器发现地磁异常,寻找具有磁性的地质体,研究地质构造的一种地球物理勘探方法。

3.4.17 电磁法　electromagnetic geophysical exploration

利用仪器观测电磁感应过程中地面的导电性的物探方法。

3.4.18 探地雷达法 ground penetrating radar method(GPR)

通过研究高频电磁波在地下介质中的传播速度、介质对电磁波的吸收以及电磁波在介质分界面的反射等,解决相关问题的一种物探方法。

3.4.19 地震勘探 seismic exploration

利用仪器检测并记录人工激发地震的反射波和折射波的传播时间、振幅、波形等,从而分析、判断地层界面、岩土性质,研究地质构造的一种地球物理勘探方法。

3.4.20 声波探测 acoustic exploration

借助仪器向岩土体内发射声(超声)波,由接受系统测得波速、振幅和频率,根据声波在弹性体中的传播规律,分析、判释被测岩土体性状和确定其有关力学参数的一种地球物理勘探方法。

3.4.21 红外探测 infra-red detection

利用遥感探测仪器探测地质体的红外线辐射能量,从而对地质体热辐射场、温度场进行研究的一种地球物理探测方法。

3.4.22 遥感勘测 remote sensing prospect

根据电磁波辐射(发射、吸收、反射)的理论,应用各种光学、电子学探测器,对远距离目标进行探测和识别的综合量测技术。

3.5 原位试验

3.5.1 原位试验 in-situ test

在岩土体原来所处的位置,基本保持岩土体的结构、含水率和原位应力状态,直接或间接地测定岩土的工程特性。

3.5.2 载荷试验 loading test

用一定尺寸的承压板,对岩、土体施加竖向荷载,同时量测承压板沉降,以研究岩、土体在荷载作用下的变形特征,测定岩、土体承载力和变形模量等的原位试验。分为平板载荷试验和螺旋板载荷试验。

3.5.3 静力触探试验 cone penetration test(CPT)

用静力将标准规格的锥形探头匀速压入土中，测定土的阻力随深度的变化，并据此推测土的力学特性的原位试验。

3.5.4 圆锥动力触探试验　dynamic penetration test(DPT)

用一定重量的击锤，从规定高度自由落下，将标准规格的圆锥形探头贯入土中，根据打入土中一定距离所需的锤击数，判定土的力学特性的原位试验。

3.5.5 标准贯入试验　standard penetration test(SPT)

用质量为 63.5kg 的穿心锤，以 76cm 的自由落距，将标准规格的贯入器在钻孔孔底预打 15cm，测记再打入土中 30cm 所需锤击数，判定土的力学特性的原位试验。

3.5.6 十字板剪切试验　vane shear test(VST)

将标准十字板探头插入土中按一定速率旋转，量测土破坏时的抵抗力矩，测定土的不排水抗剪强度的原位试验，简称十字板试验。

3.5.7 旁压试验　pressuremeter test(PMT)

利用可侧向膨胀的旁压仪，在钻孔中对孔壁施加径向压力，根据压力与变形关系推测岩土临塑压力、极限压力、旁压模量等参数的原位试验，又称横压试验。

3.5.8 扁铲侧胀试验　flat dilatometer test(DMT)

将扁铲形探头贯入土中，用气压使扁铲侧面的圆形钢膜向孔壁扩张，根据压力与变形关系，推测土的模量及其他有关指标等工程特性的原位试验。

3.5.9 原位直接剪切试验　in-situ shear test

在岩土体原位制备试验加荷面，分级施加竖向和水平荷载，测定岩土或结构面抗剪强度的原位试验，又称现场直剪试验。按测试对象分为岩体直剪试验、土体直剪试验和结构面直剪试验。

3.5.10 岩体原位应力测试　in-situ rock stress test

对无水、完整或较完整的岩体，采用孔壁应变法、孔径变形法或孔底应变法测求岩体空间应力和平面应力的原位试验。

3.5.11 钻孔变形试验 borehole deformation test

通过放入岩体钻孔中的压力计或膨胀计,施加径向压力于钻孔孔壁,量测钻孔径向岩体变形,按弹性理论公式计算岩体变形参数的原位试验。

3.5.12 狭缝法试验 slit method test

在巷道的两帮或底板开一条狭缝,槽内放置钢枕,当钢枕加压时岩体变形,利用传感器测量岩体各标点的绝对位移和相对位移,或根据钢枕体积变化求岩体的位移,利用弹性理论求出岩体弹性模量的原位试验。

3.5.13 波速测试 wave velocity testing

根据压缩波、剪切波或瑞利波在岩土体内的传播速度,间接测定岩土体在小应变条件下动弹性模量的原位测试。

3.5.14 岩体声波速度测试 acoustic speed testing of rock mass

利用电脉冲、电火花、锤击等方式激发声波,测试声波在岩体中的传播时间,据此计算声波在岩体中的传播速度的原位测试。

3.5.15 压水试验 pump-in test

用专门的止水设备隔离一定长度的钻孔试验段,然后用高压的方式向该段钻孔压水,水通过孔壁周围的裂隙向岩体内渗透,根据压水水头、试段长度和稳定渗入水量计算和评估岩体裂隙发育情况和透水性的水文地质原位试验。

3.5.16 抽水试验 pumping test

通过钻孔抽水确定井孔出水能力,获取含水层的水文地质参数,判明水文地质条件的水文地质试验。

3.5.17 注水试验 water injection test

向钻孔或试坑中连续注水,使水位保持一定高度,测定岩土渗透系数的水文地质试验。

3.5.18 渗水试验 infiltration test, pit permeability test

向地表试坑注水,坑内水位保持一定高度,根据单位时间内渗入地下的稳定水量来测定包气带松散土层渗透系数的水文地质试验。

3.5.19 连通试验　connecting test

通过投放指示剂,在下游或周边观测指示剂到达情况以查明地下水运动、地下水各通道分布和连通及地下水与地表水之间相互联系情况的水文地质试验。

3.5.20 弥散试验　dispersion test

根据地下水中由于质点热动能和机械能混合作用引起的化学元素稀释的原理,利用示踪剂来测定含水层中地下水的弥散参数的试验。

3.6　勘察成果与评价

3.6.1 岩土工程勘察报告　geotechnical investigation report

在勘察工作原始资料的基础上,通过整理、分析、归纳、综合、评价,提出工程结论与建议,形成的为工程建设服务的技术文件。

3.6.2 工程地质单元　engineering geological unit

按岩土的类型和工程特性划分的地段和区域,又称岩土单元。

3.6.3 综合工程地质图　comprehensive engineering geological map

反映研究区工程地质条件、建筑物布置、勘探点、线的位置和类型,以及工程地质分区的工程地质图件。

3.6.4 综合柱状图　composite columnar section

综合测区的露头和勘探资料编制而成,反映测区工程地质及水文地质条件随深度变化的图表。

3.6.5 工程地质剖面图　engineering geological profile

反映场地一定方向垂直面上地层岩性、地质构造、风化卸荷程度、不良地质现象等工程地质条件及建筑物位置的断面图。

3.6.6 地下水等水位线图　contour map of groundwater

用等值线表示潜水水位或承压水水头标高的图件。

3.6.7 岩土工程分级　classification of geotechnical projects

根据工程性质和规模、场地和地基条件等因素,对岩土工程重要性和复杂性的等级划分。

3.6.8 岩土工程评价　geotechnical evaluation

对岩土的工程特性、岩土与工程的相互作用,工程建设对岩土环境造成的影响等问题的总结性评定意见。

3.7　现场监测与检测

3.7.1 现场监测　in-situ monitoring

在现场对岩土性状、地下水动态、岩土体与结构物的应力和位移等进行的系统监视和观测。

3.7.2 原型监测　prototype monitoring

按技术规程对工程结构物的性状及变化过程进行动态监视和观测的技术操作。

3.7.3 现场检测　in-situ inspection

在现场采用一定手段,核查勘察成果或设计、施工措施效果的现场检验和测试工作。

3.7.4 地下水监测　groundwater monitoring

为满足工程建设及地下水资源、地下水环境的管理与评价等需要,对地下水水位、水量、水温、水质等有关要素的变化过程或规律进行量测的观测分析工作。

3.7.5 孔隙水压力监测　pore water pressure monitoring

用孔隙水压力计在现场对施工过程中岩土体中孔隙水压力随时间变化进行系统的监视和测量。

3.7.6 土压力监测　earth pressure monitoring

通过在测点埋设测试元件(如土压力盒等)对土压力的变化进行的监视和测量。

3.7.7 基槽检验　foundation trench inspection

基坑开挖至设计基底标高后的检验工作,简称验槽。

3.7.8 基桩检测　testing of piles

为检验建筑工程基桩的承载力和桩身完整性,采用静载试验、钻芯法、低应变法、高应变法、声波透射法等对基桩进行的检验测试。

3.7.9 桩底沉渣检测 sludge measurement for bored pile

借助专用工具、钻孔取芯等方法测定和检验桩底的沉渣厚度。

3.7.10 锚杆基本试验 basic tests of anchor

为确定锚固体与岩土层间的黏结强度、锚杆设计参数和施工工艺进行的锚杆抗拔试验。

3.7.11 锚杆验收试验 anchor acceptance test

为检验施工是否达到设计要求，用加载和计量装置进行的锚杆抗拔试验。

3.7.12 土钉抗拔检测 pull-out test of soil nail

在土钉顶部逐级施加轴向荷载，观测土钉顶部随时间产生的位移，以确定相应的土钉抗拔承载力的试验方法。

3.7.13 地下连续墙质量检测 inspection of underground diaphragm wall

利用专用仪器设备对地下连续墙的成槽垂直度、槽壁、槽底土层情况及墙体的混凝土质量进行的检测。

4 岩土基本特性与室内试验

4.1 土的组成与分类

4.1.1 土的组构　soil fabric
　　土的固体颗粒及其孔隙的空间排列特征。

4.1.2 土的结构　soil structure
　　土的固体颗粒间的几何排列和联结方式。

4.1.3 土骨架　soil skeleton
　　土中固体颗粒构成的格架。

4.1.4 比表面积　specific surface area
　　单位体积或单位质量土颗粒的总表面积。

4.1.5 孔隙水　pore water
　　土体孔隙中储存和运动的水。

4.1.6 自由水　free water
　　存在于土粒表面电场影响以外的水。

4.1.7 重力水　gravitational water
　　在重力作用下,能够在孔隙中自由运动并对土粒有浮力作用的水。

4.1.8 毛细管水　capillary water
　　由于水的表面张力,土体中受毛细管作用保持在自由水面以上并承受负孔隙水压力的水。

4.1.9 吸着水　absorbed water
　　受黏土矿物表面静电引力和分子引力作用而被吸附在土粒表面的水。

4.1.10 粒径　grain size
　　土粒能通过的最小筛孔孔径,或土粒在静水中具有相同下沉速度的当量球体直径。

4.1.11 粒径分布曲线　grain size distribution curve
小于某粒径的土粒含量与土粒粒径的关系曲线。

4.1.12 限制粒径　constrained grain size(d_{60})
粒径分布曲线上小于该粒径的土粒质量占土的总质量的60%的粒径。

4.1.13 有效粒径　effective grain size(d_{10})
粒径分布曲线上小于该粒径的土粒质量占土的总质量的10%的粒径。

4.1.14 连续粒径　consecutive grain size(d_{30})
粒径分布曲线上小于该粒径的土粒质量占土的总质量的30%的粒径。

4.1.15 不均匀系数　coefficient of uniformity(C_u)
反映土颗粒粒径分布均匀性的系数,为限制粒径与有效粒径的比值。

4.1.16 曲率系数　coefficient of curvature(C_c)
反映土颗粒粒径分布曲线形态的系数,为连续粒径的平方与限制粒径和有效粒径乘积的比值。

4.1.17 级配　gradation
土样中各粒组占总土粒质量的比例。

4.1.18 良好级配土　well-graded soil
不均匀系数 $C_u \geqslant 5$,曲率系数 C_c 为 1~3 的土。

4.1.19 不良级配土　poorly-graded soil
不同时满足 $C_u \geqslant 5$ 和 C_c 为 1~3 的土。

4.1.20 不连续级配土　gap-graded soil
由于土中缺乏某一范围的粒径而使粒径分布曲线上出现台阶状的土。

4.1.21 粒组　fraction
按粒径大小范围划分的土粒组,土按不同粒组相对含量可划分为巨粒组、粗粒组和细粒组。

4.1.22 巨粒类土　oversized coarse-grained soil

粒径大于60mm的颗粒含量大于总质量的50%的土。

4.1.23 粗粒类土　coarse-grained soil

粒径大于0.075mm和小于或等于60mm的颗粒含量大于总质量50%的土。

4.1.24 细粒类土　fine-grained soil

粒径小于或等于0.075mm的颗粒含量大于或等于总质量50%的土。

4.1.25 漂石(块石)　boulder(stone block)

巨粒类土中,粒径大于200mm,以浑圆或棱角状为主,其含量超过总质量的50%,并且粒径大于60mm的颗粒超过总质量75%的土。

4.1.26 卵石(碎石)　cobble

巨粒类土中,粒径大于60mm和小于或等于200mm,以浑圆或棱角状为主,其含量超过总质量50%,粒径大于60mm的颗粒超过总质量75%的土。

4.1.27 砾类土　gravel soil

粗粒类土中粒径为2mm~60mm的砾粒含量多于50%的土。

4.1.28 砂类土　sandy soil

粗粒类土中粒径为2mm~60mm的砾粒含量少于或等于50%的土。

4.1.29 砂土　sand

粒径大于2mm的颗粒质量不超过总质量的50%,粒径大于0.075mm的颗粒质量超过总质量50%的砂类土,根据颗粒级配由大到小分为砾砂、粗砂、中砂、细砂、粉砂。

4.1.30 粉土　silt

粒径大于0.075mm的颗粒质量不超过总质量的50%,且塑性指数小于或等于10的细粒土。

4.1.31 粉质黏土　silty clay
塑性指数大于 10,且小于或等于 17 的细粒土。

4.1.32 黏土　clay
塑性指数大于 17 的细粒土。

4.2　土的基本特性与试验

4.2.1 土试样　soil specimen
用于试验的具有代表性的土样。

4.2.2 含水率　water content
土中水的质量与土颗粒质量的比值,以百分率表示。

4.2.3 密度　density
单位体积土的质量。

4.2.4 重度　unit weight
单位体积土的重量,又称重力密度或容重。

4.2.5 土粒比重　specific gravity of soil particle
土颗粒在 105℃~110℃烘至恒量时的质量与同体积 4℃纯水质量的比值。

4.2.6 三相图　three phase diagram
表示土体中固相、液相、气相三种组分相对含量的示意图。

4.2.7 孔隙率　porosity
土的孔隙体积与土总体积的比值,以百分率表示。

4.2.8 孔隙比　void ratio
土的孔隙体积与固体颗粒体积的比值。

4.2.9 临界孔隙比　critical void ratio
土在某一应力状态下受剪切作用,保持体积不变,即既不膨胀也不收缩时的孔隙比。

4.2.10 饱和度　degree of saturation
土中孔隙水的体积与孔隙体积的比值。

4.2.11 饱和土　saturated soil

土体孔隙被水充满的土。

4.2.12 非饱和土　unsaturated soil

土体孔隙未被水充满的土或三相土。

4.2.13 稠度界限　consistency limit

黏性土随含水率的变化从一种状态变为另一种状态时的界限含水率。

4.2.14 液限　liquid limit

细粒土流动状态与可塑状态间的界限含水率。

4.2.15 塑限　plastic limit

细粒土可塑状态与半固体状态间的界限含水率。

4.2.16 缩限　shrinkage limit

饱和黏性土的含水率因干燥减少至土体体积不再变化时的界限含水率。

4.2.17 塑性指数　plasticity index

液限与塑限的差值,去除百分号。

4.2.18 液性指数　liquidity index

天然含水率和塑限之差与塑性指数的比值(去除百分号)。

4.2.19 缩性指数　shrinkage index

液限与缩限的差值(去除百分号)。

4.2.20 活性指数　activity index

黏性土的塑性指数与小于$2\mu m$颗粒含量百分率的比值。

4.2.21 塑性图　plasticity chart

以塑性指数I_p为纵坐标、液限ω_L为横坐标用于细粒土分类的图。

4.2.22 相对密度　relative density

无黏性土(如砂类土)最大孔隙比e_{max}与天然孔隙比e_0之差和最大孔隙比e_{max}与最小隙比e_{min}之差的比值,可反映无黏性土的紧密程度。

4.2.23 最大干密度　maximum dry density

击实或压实试验所得的干密度与含水率关系曲线上峰值点所对应的干密度。

4.2.24 最优含水率　optimum moisture content

击实试验所得的干密度与含水率关系曲线上峰值点所对应的含水率。

4.2.25 压实度　degree of compaction

填土压实控制的干密度相应于试验室标准击实试验所得最大干密度的百分率。

4.2.26 土体渗透性　permeability of soil

土体透水的能力。

4.2.27 水力梯度　hydraulic gradient

水流沿流程单位长度上的水头的下降值。

4.2.28 临界水力梯度　critical hydraulic gradient

在渗流出逸面处开始发生流土或管涌等渗透变形时的最小水力梯度。

4.2.29 渗流　seepage

重力水通过土体孔隙或岩石裂隙的水流运动。

4.2.30 渗流力　seepage force

水流流经土孔隙时,作用于土骨架上的体积力。

4.2.31 渗透变形　seepage deformation

在渗透力作用下发生的土粒、土体移动或渗透破坏等现象,主要表现形式有管涌或流土。

4.2.32 渗透破坏　seepage failure

由管涌、流土等引起的危害建筑物安全的土体破坏。

4.2.33 流土　soil flow

在渗流作用下出现局部土体隆起,某一范围内的颗粒或颗粒群同时发生移动而流失,这种现象称为流土。

4.2.34 管涌　piping

在渗流作用下,土体中的细颗粒在粗颗粒形成的孔隙中流失的现象称为管涌。

4.2.35 压缩性　compressibility
土在压力作用下体积缩小的特性。

4.2.36 压缩系数　coefficient of compressibility
在 K_0 固结试验中，土试样的孔隙比减小量与有效压力增加量的比值，即 $e \sim p$ 压缩曲线上某压力段的割线斜率，以绝对值表示。

4.2.37 体积压缩系数　coefficient of volume compressibility
在 K_0 固结试验中，土样的体积应变增量与有效压力增量的比值。

4.2.38 压缩指数　compression index
压缩试验所得土孔隙比与有效压力对数值关系曲线上直线段的斜率。

4.2.39 土的压缩模量　constrained modulus of soil
土在侧限条件下受荷时竖向应力与竖向应变的比值，反映了在单向压缩时土体对压缩变形的抵抗能力。

4.2.40 土的变形模量　unconfined modulus of soil
土在无侧限条件下受荷时竖向应力与竖向应变的比值，反映了土体抵抗弹塑性变形的能力。

4.2.41 土的泊松比　poisson's ratio of soil
土在无侧限条件下加载时侧向应变与竖向应变的比值。

4.2.42 回弹指数　swelling index
压缩试验时卸荷回弹所得的孔隙比与有效压力对数值关系曲线的平均斜率。

4.2.43 回弹模量　rebound modulus
压缩试验时卸荷回弹曲线的斜率。

4.2.44 固结　consolidation
饱和土在压力作用下，孔隙水逐渐排出，土体积随之减小的过程。

4.2.45 单向固结　one-dimensional consolidation
饱和土体中孔隙水只沿一个方向排出,土的压缩也只在一个方向(通常为竖直方向)的固结。

4.2.46 主固结　primary consolidation
饱和土受压力后,随孔隙水的排出孔隙水压力逐渐消散至零,有效应力相应增加,体积逐渐减小的过程。

4.2.47 次固结　secondary consolidation
饱和黏性土在完成主固结后,土体积仍随时间减小的过程。

4.2.48 K_0固结　K_0-consolidation
土体在不允许侧向变形条件下的固结。

4.2.49 固结度　degree of consolidation
饱和土层或土样在某一荷载下的固结过程中,某一时刻的孔隙水压力平均消散值(或压缩量)与初始孔隙水压力(或最终压缩量)的比值,以百分率表示。

4.2.50 固结系数　coefficient of consolidation
土的渗透系数与体积压缩系数和水的重度乘积的比值,反映土固结速率的指标。

4.2.51 次固结系数　coefficient of secondary consolidation
土体主固结完成进入次固结后固结曲线的斜率,反映土体次固结速率的指标。

4.2.52 固结压力　consolidation pressure
能够使土体产生固结或压缩的应力。

4.2.53 先期固结压力　pre-consolidation pressure
土在地质历史上曾受过的最大有效竖向压力。

4.2.54 超固结比　over-consolidation ratio(OCR)
土体曾受的先期固结压力与现有土层有效压力的比值。

4.2.55 正常固结土　normally-consolidated soil
现有的土层有效压力等于其先期固结压力的土。

4.2.56 超固结土　over-consolidated soil

现有的土层有效压力小于其先期固结压力的土。

4.2.57 欠固结土 under-consolidated soil

在自重作用下尚未固结完成的土。

4.2.58 抗剪强度 shear strength

土体和岩体在剪切面上所能承受的极限剪应力。

4.2.59 无侧限抗压强度 unconfined compressive strength

土体在无侧限条件下所能承受的最大轴向压力。

4.2.60 灵敏度 sensitivity

原状黏性土试样与含水率不变时该土的重塑试样的无侧限抗压强度的比值。

4.2.61 强度线 strength curve

土样受剪切破坏时,剪切面上的法向压力与抗剪强度的关系曲线。

4.2.62 黏聚力 cohesion

黏性土颗粒之间的黏聚性产生的抗剪强度,其数值等于强度线在剪应力轴上的截距。

4.2.63 内摩擦角 internal friction angle

强度线与法向压力轴的交角,反映颗粒间的相互移动和咬合作用形成的摩擦特性。

4.2.64 天然休止角 natural angle of repose

无黏性土松散或自然堆积时,其坡面与水平面形成的最大夹角。

4.2.65 触变性 thixotropy

黏性土受到扰动作用导致结构破坏,强度丧失,扰动停止后强度逐渐恢复的性质。

4.2.66 剪胀性 dilatancy

土体试样在剪切过程中体积产生膨胀(或收缩)的性状。

4.2.67 塑性破坏 plastic failure

土体在外力作用下,出现明显的塑性变形后发生的破坏。

4.2.68 脆性破坏　brittle failure
土体在外力作用下,应变很小时即发生的破坏。

4.2.69 峰值强度　peak strength
土的强度试验时所得的应力-应变关系曲线上峰值点对应的剪应力值。

4.2.70 残余强度　residual strength
土的强度试验时所得的应力-应变关系曲线过峰值点后下降达到稳定的剪应力值。

4.2.71 孔隙水压力系数　pore pressure parameter
土体中应力变化引起孔隙水压力增量与应力增量的比值。

4.2.72 应力路径　stress path
土体受荷过程中,一点应力状态变化过程在应力空间内形成的轨迹。

4.2.73 加州承载比　California Bearing Ratio(CBR)
用规定尺寸的贯入杆,以一定的速率压入试样内,测得试样在规定贯入量时的贯入阻力,将其与碎石的标准贯入阻力相比得到的比值。

4.2.74 膨胀力　swelling force
土体在不允许侧向变形下充分吸水,使其在吸水过程中始终不发生竖向膨胀所需施加的最大压力值。

4.2.75 膨胀率　swelling ratio
土的体积膨胀量与原体积的比值,以百分率表示。

4.2.76 自由膨胀率　free swelling ratio
用人工制备的烘干土,在纯水中膨胀后增加的体积与原体积之比值,以百分率表示。

4.2.77 线缩率　linear shrinkage ratio
土体在单方向上长度的收缩量与原长度的比值,以百分率表示。

4.2.78 体缩率　volume shrinkage ratio

土体收缩达稳定时的体积收缩量与原体积的比值,以百分率表示。

4.2.79 冻胀　frost heave
土在冻结过程中体积膨胀的性状。

4.2.80 冻胀力　frost-heaving pressure
土体在冻结过程中因体积膨胀受到约束形成的力。

4.2.81 冻胀量　frost-heave capacity
土体在冻结过程中的冻胀变形量。

4.2.82 融陷性　thaw collapsibility
冻土融化过程中在自重或外力作用下,产生沉陷变形的性状。

4.2.83 湿陷性　collapsibility
黄土类土等在上部压力或自重作用下,浸水后产生显著附加沉陷变形的性状。

4.2.84 湿陷变形　collapse deformation
黄土类土等在荷重和浸水共同作用下,由于结构遭破坏产生显著的变形。

4.2.85 湿陷系数　coefficient of collapsibility
黄土类土等试样在一定的压力作用下,浸水湿陷的下沉量与试样原高度的比值。

4.2.86 湿陷起始压力　initial collapse pressure
湿陷性黄土浸水后达到湿陷变形特征值作用的最小附加压力。

4.2.87 颗粒分析试验　particle size analysis
测定土中各种粒径组相对含量百分率的试验。

4.2.88 击实试验　compaction test
用标准击实方法,测定某一击实功能作用下土的密度和含水率的关系,以确定该击实功能时土的最大干密度与相应的最优含水率的试验。

4.2.89 剪切试验　shear test

测定土抗剪强度指标的室内或现场试验。

4.2.90 渗透试验　permeability test

测定土体渗透系数的试验。

4.2.91 固结试验　consolidation test

测定饱和黏性土试样受荷载排水时,稳定孔隙比和压力关系、孔隙比和时间关系的试验。

4.2.92 直剪试验　direct shear test

一般取3个～4个相同的试样,在直剪仪中施加不同竖向压力,再分别对它们施加剪切力直至破坏,以直接测定剪切面上土的抗剪强度的方法,分为快剪、固结快剪和慢剪三种试验。

4.2.93 三轴压缩试验　triaxial compression test

通常用3个～4个相同的圆柱形土样,分别在不同的围压(σ_3)下施加偏应力,即主应力差($\sigma_1-\sigma_3$)直至试样破坏的一种求取土的抗剪强度参数(c,φ)和确定土的应力-应变关系的试验,分为不固结不排水、固结不排水和固结排水三种方法,也称三轴剪切试验。

4.2.94 三轴伸长试验　triaxial extension test

利用三轴仪,逐渐增大作用在试样上的围压,使其大于轴向压力,直至试样发生伸长破坏的试验。

4.2.95 真三轴试验　true triaxial test

受三个相互独立的主应力作用的三轴压缩试验。

4.2.96 单剪试验　simple shear test

试样剪切时不产生竖向和水平向的线应变,仅产生剪应变的一种纯剪试验。

4.2.97 扭剪试验　torsional shear test

在空心圆柱试样的上、下面同时施加扭矩的剪切试验。

4.2.98 动三轴试验　dynamic triaxial test

在试验仪器压力室内,以一定围压或偏压使土样固结后施加动荷载以确定土的动强度、动弹性模量与阻尼以及液化势的试验。

4.2.99 动单剪试验 dynamic simple shear test

测定土的动剪模量、动强度和阻尼系数等动力参数的室内试验。

4.2.100 共振柱试验 resonant column test

将圆柱形土试样作为一个弹性杆件,利用共振方法测出其自振频率,然后确定其动弹性模量和阻尼比的试验。

4.2.101 土工离心模型试验 geotechnical centrifugal model test

利用离心机提供的离心力模拟重力,将原型土按比例缩小的模型置于该离心力场中,使模型与原型相应点应力状态一致的研究土或土工构筑物的工程性状的模型试验。

4.3 岩体结构

4.3.1 岩体结构 structure of rock mass

结构面的发育程度及其组合关系,或结构体的规模、形态及其排列形式所表现的空间形态。

4.3.2 岩块 block

脱离天然状态母岩的块体,如钻取的岩芯、爆破得到的石块。

4.3.3 结构面 structural plane, discontinuity

岩体中分割固相组分的地质界面的统称,如层理、节理、片理、断层等不连续的开裂面,又称不连续面。

4.3.4 结构体 structural block

被结构面切割形成的岩石块体。

4.3.5 原生结构面 primary structure plane

岩体成岩过程中形成的,特征与岩体的成因密切相关的结构面。

4.3.6 构造结构面 constructive structure plane

构造过程中形成的破裂面,包括断层、节理、劈理和层间错动面等结构面。

4.3.7 次生结构面 secondary structure plane

岩体形成后,在外营力作用下产生的,包括卸荷裂隙、风化裂隙、次生夹泥层及泥化夹层等结构面。

4.3.8 延续性　continuity

结构面的展布范围和延伸长度。

4.3.9 粗糙度　roughness

结构面侧壁的粗糙程度,用起伏度和起伏差来表征。

4.3.10 张开度　aperture

结构面两壁间的平均距离,分布函数服从负指数分布,也称开度。

4.3.11 充填物　filling substance

充填于结构面相邻岩壁间的物质。

4.3.12 软弱结构面　weak structural plane

延伸较远、两壁较平滑、充填有一定厚度的软弱物质的结构面。

4.3.13 软弱夹层　weak intercalation

岩体中强度较低或被泥化、软化的具有明显上下界面的破碎层、缝、带等。

4.4 岩石的基本特性与试验

4.4.1 岩石物理性质　physical properties of rock

由岩石固有的物质组成和结构特征所决定的密度、重度、比重、孔隙率、吸水率等基本属性。

4.4.2 岩石力学性质　mechanical properties of rock

岩石在外力作用下的强度、刚度、压缩性等综合性质。

4.4.3 岩石颗粒密度　particle density of rock

岩石固体矿物颗粒部分的质量与其体积的比值。

4.4.4 岩石块体密度　block density of rock

单位体积的岩石质量,是岩石试件质量与其体积的比值。

4.4.5 岩石含水率　water content of rock

岩石试件在 105℃～110℃下烘至恒量时所失去水的质量与试件干质量的比值，以百分数表示。

4.4.6 岩石吸水率　water-absorption of rock

岩石试件吸入水的质量与试件固体质量的比值，以百分数表示，又分为自然吸水率和饱和吸水率。

4.4.7 岩石膨胀压力　swelling pressure of rock

岩石试件浸水后使其保持原形体积不变所产生的压力。

4.4.8 岩石自由膨胀率　free swelling ratio of rock

岩石试件在吸水后产生的径向和轴向变形分别与原试件直径和高度之比，以百分数表示。

4.4.9 岩石侧向约束膨胀率　swelling ratio of rock under lateral restraint

岩石试件在有侧限条件下，轴向受有限压力(5kPa)时，吸水后产生的轴向变形与试件原高度之比，以百分数表示。

4.4.10 耐崩解性指数　disintegration-resistance index

岩石试块经过干燥和浸水两个标准循环后试件残留的质量与其质量之比。

4.4.11 抗冻性系数　coefficient of frost resistance, antifreezing coefficient

岩石试件冻融后的饱和单轴抗压强度与其冻融前的饱和单轴抗压强度间的比值，以百分率表示。

4.4.12 岩石变形模量　deformation modulus of rock

岩石试件在轴向应力作用下，轴向应力与相对应的轴向应变的比值，也称割线模量。

4.4.13 岩石弹性模量　elastic modulus of rock

岩石试件在轴向应力作用下，轴向应力与相对应的轴向弹性应变的比值。

4.4.14 岩石泊松比　poisson's ratio of rock

岩石试件在轴向应力作用下所产生的横向应变与相对应的轴

向应变的比值。

4.4.15　抗压强度　compressive strength
岩石试件在外力作用下抵抗压应力的能力,为岩石试件压缩破坏时的极限荷载与受压截面积的比值。

4.4.16　单轴抗压强度　uniaxial compressive strength
岩石试件在无侧限条件下,受轴向压力作用破坏时单位面积所承受的荷载。

4.4.17　三轴抗压强度　triaxial compressive strength
岩石试件三向应力状态下,受轴向压力作用破坏时单位面积所承受的荷载。

4.4.18　抗拉强度　tensile strength
岩石试件在外力作用下抵抗拉应力的能力,为岩石试件拉伸破坏时的极限荷载与受拉截面积的比值。

4.4.19　岩石抗剪强度　shearing strength of rock
岩石在剪切荷载作用下破坏时所能承受的最大剪应力。

4.4.20　软化系数　softening coefficient
岩石饱和单轴抗压强度与干燥状态的单轴抗压强度的比值。

4.4.21　疲劳强度　fatigue strength
岩体抵抗重复荷载破坏作用的能力。

4.4.22　应力松弛　stress relaxation
黏弹性材料在恒定应变下,应力随时间衰减的现象。

4.4.23　松弛时间　relaxation time
黏弹性固体材料作松弛试验时应力从初始值降到其 $1/e$,即 0.367 倍所需的时间。

4.4.24　岩石扩容　dilatancy of rock
岩石在应力偏量作用下由于内部产生微裂隙而出现的非弹性体积应变。

4.4.25　岩石声发射　acoustic emission of rock
岩石破裂时以脉冲波形式释放应变能的现象。

4.4.26 岩石分类 rock classification

根据岩石的强度、裂隙率、风化程度等物理力学性质指标将其区分成各种类别。

4.4.27 岩石坚硬程度 hardness degree of rock

岩石在外荷载作用下抵抗变形直至破坏的能力。

4.4.28 岩石质量指标 rock quality designation (RQD)

用直径为75mm的金刚石钻头和双层岩芯管在岩石中钻进,连续取芯,回次钻进所取岩芯中,长度大于10cm的岩芯段长度之和与该回次进尺的比值,是表征岩体的节理、裂隙等发育程度的指标,以百分数表示。

4.4.29 岩体基本质量 basic quality of rock mass

岩体所固有的,由岩石坚硬程度和岩石完整程度所决定的影响工程岩体稳定性的最基本属性。

4.4.30 岩体基本质量分级 classification of basic quality of rock mass

根据岩体基本质量的定性特征和岩体基本质量指标两者相结合的岩体分级方法。

4.4.31 单轴压缩变形试验 uniaxial compression deformation test

测定岩石试件在单轴压缩应力条件下,通过测定纵向及横向应变值,计算岩石弹性模量和泊松比的试验。

4.4.32 压剪试验 compressive shear test

通过岩石试件在垂直荷载作用下受剪力方向荷载而发生断裂,确定岩石剪断破坏时作用在剪切面上正应力和剪应力间的关系的剪切试验。

4.4.33 劈裂试验 split test

用圆柱形岩样在直径方向上对称施加沿纵轴向均匀分布的线性压荷载使之破坏,以间接确定岩样抗拉强度的一种试验方法,又称巴西试验。

4.4.34 点荷载强度试验　strength test under point load

将岩石试样置于上下一对球端圆锥之间,施加集中荷载直至破坏,据此求得岩石点荷载强度和其各向异性指数的试验方法。

4.4.35 抗弯试验　bending test

利用结构试验中梁的三点或四点加载的方法,使梁的下沿产生纯拉应力的作用而使岩石试件产生拉断裂破坏,间接求出岩石的抗拉强度的试验。

4.4.36 岩石耐崩解性试验　disintegration-resistance test of rock

测定岩石试件在经过干燥和浸水两个标准循环后,试件残留的质量与原质量之比,以百分数表示,适用于黏土岩类岩石和风化岩石的试验。

4.4.37 岩体结构面直剪试验　direct shear test of structural plane

将同一类型岩体结构面的试件,在不同法向荷载作用下进行剪切,根据库仑表达式确定岩体结构面抗剪强度参数的试验。

5 基本理论与计算分析

5.1 基本理论与方法

5.1.1 太沙基固结理论　Terzaghi's consolidation theory

由太沙基导得的、反映饱和黏性土体在侧限情况下受荷载作用后超静孔隙水压力消散、有效应力增加规律的理论。

5.1.2 比奥固结理论　Biot's consolidation theory

由比奥导得的、反映饱和黏性土体受荷载作用后发生的三维孔隙水流动和土骨架变形规律的理论。

5.1.3 极限平衡　limit equilibrium

刚塑性体的一部分或全部在荷载作用下从静力平衡转向运动，即土中某点在任一平面上的剪应力等于土的抗剪强度时的临界状态。

5.1.4 极限平衡条件　limit equilibrium condition

描述土体的剪切破坏，当土中某点在任一平面上的剪应力等于土的抗剪强度时，土的应力状态和土的抗剪强度指标之间的关系。

5.1.5 有效应力原理　effective stress principle

阐明在力系作用下，饱和土体的强度和变形取决于其所受的有效应力，饱和土体内一点的总应力等于该点的有效应力与孔隙水压力之和的原理。

5.1.6 达西定律　Darcy's law

土体中水的渗流呈层流状态时，其流速与作用水力梯度成正比的规律。

5.1.7 摩尔-库仑破坏准则　Mohr-Coulomb failure criterion

单元岩土体中有一对平面上的剪应力达到其抗剪强度，将该岩土体处于濒临破坏的极限平衡状态（即破坏状态）作为岩土的破坏准则，以判别岩土体所处状态。

5.1.8 库仑土压力理论　Coulomb's earth pressure theory

库仑假定刚性挡土墙背面无黏性填土中产生破坏时滑动面为通过墙踵的某一斜平面，该面以上的滑动土楔达到极限平衡状态时，作用于墙背的力为土压力的挡土墙古典土压力理论。

5.1.9 朗肯土压力理论　Rankine's earth pressure theory

朗肯假定挡土墙是刚性的，墙背垂直、光滑，墙后填土面水平，墙背后土体达到极限平衡状态时，作用于墙背的水平力为土压力的挡土墙古典土压力理论。

5.1.10 角点法　corner-point method

矩形荷载面上受均布荷载或三角形分布荷载时，在一个角点下任意深度点利用布辛涅斯克竖向应力解来计算地基中任意一点竖向附加应力的方法。

5.1.11 分层总和法　layerwise summation method

在地基可能产生压缩的土层深度内，根据地层结构和应力状态的变化将地基分为若干层，假定每一分层土质均匀且应力沿厚度均匀分布，土体仅产生竖向压缩、无侧向变形，分别计算每层的压缩量，然后求其总和得出地基表面沉降量的方法，也叫分层总合法。

5.1.12 极限平衡法　limit equilibrium method

分析岩体、土体稳定性时假定一破坏面，取破坏面内土体为脱离体，计算出作用于脱离体上的力系达到静力平衡时所需的岩土的抗力或抗剪强度，与破坏面实际所能提供的岩土的抗力或抗剪强度相比较，以求得稳定性安全系数的方法，或根据所给定安全系数求允许作用外荷载的方法。

5.1.13 总应力法　total stress analysis

用总应力和总应力抗剪强度指标分析土体稳定性的方法。

5.1.14 有效应力法　effective stress analysis

用有效应力和有效应力抗剪强度指标分析土体稳定性的方法。

5.2 计算分析

5.2.1 半无限弹性体　semi-infinite elastic body
具有水平边界面,界面下的任一方向都是无边界的弹性体。

5.2.2 中心荷载　central load
合力作用点通过作用面形心的荷载,又称轴心荷载。

5.2.3 偏心荷载　eccentric load
合力作用点不通过作用面形心的荷载。

5.2.4 集中荷载　concentrated load
作用在一个点上的荷载或力的作用面积与受力体面积之比很小,此时荷载可简化为集中荷载,又称点荷载。

5.2.5 均布荷载　uniformly distributed load
均匀分布于一定长度或面积上的荷载。

5.2.6 条形荷载　strip load
荷载面的长度比宽度大得多(10倍以上),且任一横断面宽度上分布规律相同的荷载。

5.2.7 线荷载　line load
条形荷载面的宽度趋于零的荷载。

5.2.8 周期荷载　cyclic load
多次有规律地重复作用的荷载。

5.2.9 瞬时荷载　transient load
作用历时很短的荷载。

5.2.10 动荷载　dynamic load
大小、方向或作用位置随时间变化的荷载。

5.2.11 体积力　body force, volume force
连续分布在岩体或土体整个体积内的重力、惯性力、渗流力等。

5.2.12 表面力 surface force
作用在岩土体表面上的力。

5.2.13 超载 surcharge, overload
建筑物地基计算中需要考虑的近旁地面的堆载和邻近建筑物荷载,也指挡土墙墙顶高程面以上的荷载。

5.2.14 应力分布 stress distribution
岩土体受自重和外力作用时,其体内各点的应力变化。

5.2.15 应力集中 stress concentration
岩土体中应力分布所出现的局部升高现象。

5.2.16 自重应力 geostatic stress, self-weight stress, gravity stress
由岩土体本身有效重量产生的应力。

5.2.17 基底压力(接触压力) contact pressure
作用于建(构)筑物基础底面与地基土接触面上的压力。

5.2.18 附加应力 additional stress, superimposed stress
由于外荷在地基内部引起的应力。

5.2.19 基底附加压力 additional stress on the base
基底压力扣除因基础埋深所开挖土石的自重应力后,在基底处施加于地基上的单位面积压力。

5.2.20 剪应变 shear strain
两个互相垂直的面在受力发生变形后夹角的改变量,以弧度表示。

5.2.21 体应变 volumetric strain
材料在外力作用下产生的体积变化与原体积的比值。

5.2.22 弹性应变 elastic strain
材料在去除作用应力后可恢复的应变。

5.2.23 塑性应变 plastic strain
材料在去除作用应力后不能恢复的应变。

5.2.24 剪切模量 shear modulus

岩土体剪应力与相应剪应变的比值。

5.2.25 体积模量 bulk modulus

土体在三向应力作用下平均正应力与相应的体积应变的比值。

5.2.26 最终沉降 final settlement

土体在荷载作用下压缩变形达到固结稳定时所产生的总沉降量。

5.2.27 初始沉降 immediate settlement

地基受到荷重作用时，几乎与加荷过程同时发生的沉降。

5.2.28 主固结沉降 primary consolidation settlement

荷载作用下，随时间的增加饱和土体中孔隙水的排出导致超孔隙水应力逐渐消散，有效应力逐渐增加至稳定值时孔隙水应力消散为零，主固结完成过程中产生的沉降。

5.2.29 次固结沉降 secondary consolidation settlement

土体主固结沉降完成后，在有效应力不变的情况下随时间增长继续发生的沉降。

5.2.30 不均匀沉降 non-uniform settlement

地基、基础或填土表面各点的下沉量不相等的沉降，或相邻基础的沉降差。

5.2.31 容许沉降 allowable settlement

结构物能承受而不至于产生损害或影响使用所容许的沉降。

5.2.32 沉降速率 rate of settlement

单位时间的沉降增量。

5.2.33 沉降曲线 settlement curve

沉降量与时间的关系曲线。

5.2.34 固结曲线 consolidation curve

在一定荷载下，地基沉降量与相应历时的关系曲线。或室内固结试验中试样在系列荷载作用下的压缩量或孔隙比随时间的变化曲线。

5.2.35 地基回弹　rebound of foundation
地基在卸荷时变形的回复现象。

5.2.36 塑流　plastic flow
土体中应力达屈服值后,塑性变形持续发展的现象。

5.2.37 屈服　yield
岩土体中某点在应力状态下由弹性状态转变到塑性状态的现象。

5.2.38 屈服面　yield surface
塑性理论认为应力空间中存在的一个屈服面,应力点到达该面时可能产生塑性应变,并假定该屈服面与应力路径无关。

5.2.39 应力空间　stress space
以三个相互垂直的应力主轴构成的三维坐标系统的空间。

5.2.40 应变空间　strain space
以三个相互垂直的应变主轴构成的三维坐标系统的空间。

5.2.41 应力历史　stress history
岩土体在历史上曾经受到过的应力状态。

5.2.42 塑性区　plastic zone
土体承受荷载时,土中剪应力达到其抗剪强度的区域。

5.2.43 整体剪切破坏　general shear failure
地基土发生连续贯通到地面的滑动面的破坏形式。

5.2.44 局部剪切破坏　local shear failure
地基土未能形成连续贯通的滑动面的破坏形式。

5.2.45 冲剪破坏　punching shear failure
基础下的地基土与周围土体发生竖向剪切,基础切入土中,产生下沉的破坏形式。

5.2.46 容许承载力　allowable bearing capacity
确保地基不产生剪切破坏而失稳,同时又保证建筑物的沉降不超过允许值的最大荷载(强度)。

5.2.47 承载力因数　bearing capacity factors

地基极限承载力理论公式中和土的内摩擦角有关的系数。

5.2.48 极限承载力　ultimate bearing capacity

地基能承受的最大荷载强度。

5.2.49 地基承载力特征值　characteristic value of subsoil bearing capacity

由载荷试验测定的地基土压力变形曲线线性变形段内规定的变形所对应的压力值,其最大值为比例界限值。

5.2.50 总应力　total stress

作用在土体内单位面积上的应力,其值为孔隙压力和有效应力之和。

5.2.51 有效应力　effective stress

土体内固体骨架承受的平均法向应力。

5.2.52 孔隙压力　pore pressure

土体中孔隙水和气所承受的压力,分为孔隙水压力和孔隙气压力。

5.2.53 孔隙水压力　pore water pressure

土中某点孔隙水承受的压力。

5.2.54 孔隙气压力　pore air pressure

土中某点孔隙气体承受的压力。

5.2.55 静水压力　hydrostatic pressure

给定点与自由水位高程差引起的水压力。

5.2.56 超静水压力　excess pore water pressure

饱和土体内一点的孔隙水压力中超过静水压力的那部分水压力,即由外荷载引起的水压力。

5.2.57 扬压力　uplift pressure

地基中渗透水流作用于基底或计算截面上向上的等于浮托力和渗流压力之和的水压力。

5.2.58 浮托力　buoyancy

地下建筑物受静水位或下游水位作用,在其底面所受的均布向上的静水压力。

5.2.59 稳定渗流　steady seepage

液体通过土体时任何一处的任何运动要素,如流速、压强等均不随时间改变的稳定流动。

5.2.60 流网　flow net

由互相正交的流线族和等势线族组成的拉普拉斯渗流方程二维渗流解的一种图示形式。

5.2.61 流线　flow line

同一瞬时渗流体不同质点的运动方向所描绘的曲线。

5.2.62 等势线　equipotential line

渗流体中测压水头相等的各点的连线。

5.2.63 浸润线　phreatic line

土堤、土坝中渗流区水的自由表面的位置线,在剖面上它为一条曲线。

5.2.64 渗透稳定性　seepage stability

在渗透水流作用下,岩土体内松散物质抵抗渗透变形的能力。

5.2.65 土的液化　soil liquefaction

因振动等原因,土中孔隙水压力增加导致剪切阻力减小至接近于零而使土体呈流动状态的过程和现象。

5.2.66 液化势　liquefaction potential

土体发生液化的潜在可能性。

5.2.67 渐进破坏　progressive failure

土体在荷载作用下逐步达到破坏的现象。

5.2.68 主动土压力　active earth pressure

挡土结构物背离土体方向转动或移动时,土体达到极限平衡状态时作用在结构物上的土压力。

5.2.69 静止土压力　earth pressure at rest, static earth pressure

土体在天然状态时或挡土结构物不产生任何移动或转动时,土体作用于结构物的水平压应力。

5.2.70 被动土压力　passive earth pressure

挡土结构物向填土方向转动或移动时,结构物后土体受到挤压而逐渐增加达到极限平衡状态时作用在结构物上的土压力。

6 岩土体加固与处理

6.1 处理方法

6.1.1 地基处理 ground treatment, ground improvement

用排水、换料、掺合料、化学剂、电热等方法或机械手段提高地基承载力,改善地基土的强度、变形特性或渗透性而采取的工程技术措施。

6.1.2 置换 replacement

用物理力学性质较好的岩土材料部分或全部置换天然地基中部分或全部软弱土体,以提高地基承载力、减小沉降的地基处理方法。

6.1.3 振密 vibro-densification, compaction

通过振动(或挤压)使地基土体孔隙比减小,强度提高,达到地基加固目的的地基处理方法的总称,又称挤密。

6.1.4 排水固结 drainage consolidation

在地基中利用天然或人工铺设的排水通道,通过预压使软土地基中孔隙水排出、土体固结、抗剪强度提高的地基处理方法,又称预压。

6.1.5 灌入固化物 grouting curing material

用气压、液压或电化学原理把某些能够固化的浆液注入岩土体的裂缝或孔隙,以改善地基的物理力学性质的地基处理方法。

6.1.6 加筋 reinforcement

通过在地基土层中铺设拉伸强度较高、界面摩擦系数较大的金属材料制成的拉筋、土工合成材料、格栅以及其他受力杆件等,使加筋体与周围土体共同作用达到提高地基承载力、减小地基沉降量和沉降差,或维持建筑物稳定的地基处理方法的总称。

6.1.7 托换 underpinning

为提高既有建筑物地基的承载力,或纠正基础由于严重不均匀沉降所导致的建筑物倾斜、开裂而采取的地基基础处理、加固、改造、补强技术的总称。

6.1.8 复合地基 composite ground, composite foundation

部分土体被增强或被置换形成增强体,由增强体和周围地基土共同承担荷载的人工地基。

6.1.9 岩土锚固 ground anchors, anchorage

通过锚杆、锚索等传力构件,将不稳定岩土体的作用荷载传递到稳定岩土体,从而加固不稳定岩土体的方法。

6.2 置 换

6.2.1 垫层 cushion

用砂、碎石或灰土铺填于软弱地基土上或置换地基表面一定厚度的软弱土的材料层。

6.2.2 强夯置换 dynamic replacement

通过夯击能在地基中形成较密实的置换墩体的地基处理方法。

6.2.3 褥垫 pillow

当建(构)筑物的地基一部分压缩性很小,而另一部分压缩性较大时,为了避免不均匀沉降,减少沉降差,在压缩性很小的部分,通过换填法铺设一定厚度的可压缩性土料形成的垫层。

6.2.4 抛石挤淤 rock filling replacement

在软基上抛填片石或块石,依靠抛石体的重力使部分软土挤出抛填体范围的一种浅层软基强行置换方法。

6.2.5 爆破挤淤 blasting replacement

在抛石挤淤的过程中,在堆石体前缘的软土层中埋置炸药包群,通过爆炸扰动和排淤等效应,使得堆石体向淤泥底部滑塌,挤开淤泥形成抛石置换体的方法。

6.2.6 轻质填土 light weight filling

使用重度较小的材料(如EPS)代替填土,在软基上减少填土荷载,起到减小沉降、增加稳定性的作用。

6.3 振密与挤密

6.3.1 碾压 compaction

利用碾压机械压实土体的填筑方法。

6.3.2 强夯 dynamic consolidation, dynamic compaction

利用夯锤的冲击和振动能量,密实处理地基土的地基处理方法。

6.3.3 振冲 vibro-flotation

利用振冲器在土层中振动和水流喷射的联合作用成孔,然后填入碎石料或砂料并提拔振冲器逐段振实,形成刚度较大或密实度较高的碎石桩或砂桩的地基处理方法。

6.3.4 挤密砂(碎石)桩 densification by sand pile

利用振动或锤击作用,将桩管打入土中,分段向桩管加砂(碎石)料,不断提升并反复挤压而形成的砂(碎石)桩的地基处理方法。

6.3.5 爆夯 blasting compaction

在块石基床的表面或其上部布置药包,起爆后产生的爆炸动荷载(爆破震动和爆炸冲击波)作用于基床块石体,使之密实,以达到减少沉降和差异沉降的目的。

6.3.6 振动压实 vibro-compaction

用振动压实机械在地基表面施加振动力以振实浅层松散砂土,使之孔隙比减小,强度提高的一种地基处理方法。

6.4 排水固结

6.4.1 排水砂井 sand drain

在软土地基中成孔,填以砂砾石形成的竖向排水通道。

6.4.2 袋装砂井 packed sand drain, fabric-enclosed sand drain

以透水型土工织物长袋装砂,设置在软土地基中形成的竖向排水通道。

6.4.3 塑料排水带 prefabricated vertical drain(PVD)

由不同凹凸截面形状、具有连续排水槽的土工合成材料芯材,外包或外粘无纺土工织物滤膜而成的复合排水材料。

6.4.4 堆载预压 preloading with surcharge of fill

在饱和软黏土地基设置竖向和水平向排水通道后对地基进行堆载,使地基土排水固结,提高地基土强度的地基处理方法。

6.4.5 真空预压 vacuum preloading

在饱和软黏土地基设置竖向和水平向排水通道,通过覆盖在地基表面的封闭薄膜内抽真空产生负压排水,增加地基土的有效应力,实现对地基土施加预压和加快固结的地基处理方法。

6.4.6 电渗加固 electro-osmosis stabilization

在土中插入金属电极并通以直流电,在电场作用下,土中水从阳极流向阴极,产生电渗,从而降低高黏性土的含水率或地下水位,以改善土性的加固方法。

6.4.7 砂垫层 sand cushion

铺设在饱和软黏土地基表面的填砂层,采用预压法时,作为水平排水体。

6.5 灌入固化物

6.5.1 水泥(稳定)土 cement-stabilized soil

采用注浆法、深层搅拌法、高压旋喷法将水泥浆液同土体拌和所形成的固结体的统称。

6.5.2 灰土 lime-treated soil

掺入石灰,通过其放热与土凝结及离子交换作用等使性质得到改良的土。

6.5.3 高压喷射注浆 jet grouting

采用注浆管和喷嘴,利用高压将水泥浆从喷嘴射出,直接切割地基土体,并与之混合,或者喷出高压水射流切割破坏土体,掺加水泥浆与之混合形成水泥土加固体的一种地基处理方法。钻头旋转喷射的称旋喷法,摆动和定向喷射的分别称为摆喷法和定喷法。

6.5.4 挤密注浆　compaction grouting

通过钻孔向土层压入稠水泥浆,在土体内形成泡形空间,使浆液对地基土起到挤压和硬化后形成加强体的加固方法。

6.5.5 深层搅拌　deep mixing

以水泥、石灰或其他材料作为固化剂,通过特制的深层搅拌机械,将其与地基深层土体强制搅拌混合,经物理—化学作用后形成具有整体性、水稳性和一定强度的桩体的地基处理方法。使用水泥浆作为固化剂的深层搅拌法称为浆液搅拌法,即湿法;使用水泥粉或石灰粉作为固化剂的深层搅拌法称为粉喷搅拌法,即干法。

6.5.6 灌浆　grouting

利用灌浆压力或浆液自重,经钻孔将浆液压送到岩石、砂砾石层、混凝土或土体裂隙、接缝或空洞内的地层加固方法。

6.5.7 固结灌浆　consolidation grouting

将具有黏结性能的浆液灌入基岩浅层裂缝和破碎带,以提高岩土体的整体性,改善岩土体力学性能的灌浆方法。

6.5.8 帷幕灌浆　curtain grouting

在透水的岩土体中,用深孔灌浆方法设置一道连续防渗帷幕的方法。

6.5.9 化学灌浆　chemical grouting

将硅酸钠或高分子化合物浆液通过钻孔和导管灌注入岩土体孔隙、裂隙中,起到胶结与堵塞的作用,从而提高岩土体的强度,减小其压缩性和渗透性的地基处理方法。

6.5.10 劈裂灌浆　hydrofracture grouting

利用水力劈裂原理,以灌浆压力劈开土体,灌入水泥浆形成防渗帷幕或加固土体的方法。

6.6 加 筋

6.6.1 土钉　soil nailing

土中钻孔置入钢筋,沿孔全长注浆形成细长杆件,靠与土体之间的黏结力在土体发生变形的条件下承受拉力作用的加固土体的方法。

6.6.2 土工合成材料加筋　reinforcement by geosynthetics

利用土工合成材料能承受拉力的特性,抵抗土工结构物及地基所受应力,或吸收其变形效应的处理方法。

6.6.3 铺网　fabric sheet reinforced earth

在软基表面铺设高强度土工合成材料网,如土工格栅、格室等,以有利于填土的稳定,起到类似于粗颗粒材料垫层作用的表面处理方法。

6.6.4 加筋土　reinforced earth

在填土中铺设土工格栅、土工织物或加筋带等加筋材料,以增加土体的抗拉、抗剪强度和整体稳定性的复合土。

6.6.5 纤维土　fibrous soil

均匀拌和在土体内,以聚合物纤维、网片或废料等加筋而形成的土体。

6.7 纠倾与托换

6.7.1 纠倾托换　rectification underpinning

利用地基新的不均匀沉降来调整建(构)筑物已存在的不均匀沉降,达到新的平衡和矫正建(构)筑物的倾斜。

6.7.2 坑式托换　pit underpinning

直接在被托换建(构)筑物的基础边开挖竖坑,再对竖坑横向扩展开挖基础下的横坑,直至达到设计的持力层后,再从坑底浇注混凝土到基底的托换加固方法,也称墩式托换。

6.7.3 桩基托换　piles underpinning

在被托换的基础周边设置新桩,桩顶上加设与基础正交的横梁,或将原有基础加宽与桩顶浇成整体,使上部荷载传递到新桩基础上的地基处理方法。

6.7.4 灌浆托换　grouting underpinning

用固化剂浆液注入地基土层,以改善地基土的物理力学性质,达到防渗、堵漏和加固的目的。

6.7.5 锚杆静压桩托换　pressed pile underpinning

在基础承台或基础梁上设锚杆,利用建(构)筑物自身重量作为反力,采用静压法施工托换桩及转换荷载的地基处理方法。

6.7.6 顶升纠倾　jack-up leaning rectification

在倾斜建(构)筑物沉降较大的部位采用千斤顶顶升的措施,通过调整建(构)筑物各部分的顶升量,使建(构)筑物作整体平面转动以达到纠倾目的。

6.7.7 堆载加压纠倾　leaning rectification with surcharge

在沉降小的一侧施加临时荷载,适当增加该侧的沉降,以减小不均匀沉降差和倾斜的措施。

6.7.8 掏土纠倾　leaning rectification by digging-out soil

在倾斜建(构)筑物基础沉降小的部位采用掏土的迫降措施,使基底下土体部分临空,接触面减小,接触应力增大,产生一定侧向挤出变形,迫使基础局部下沉,使得原有的不均匀沉降得到调整,达到纠倾目的的措施。

6.8 复合地基

6.8.1 柔性桩复合地基　composite foundation of flexible piles

竖向增强体为碎石桩、水泥土桩、灰土桩和石灰桩等柔性桩的桩体复合地基。

6.8.2 刚性桩复合地基　composite foundation of rigid piles

竖向增强体为混凝土桩和钢管桩等刚性桩的桩体复合地基。

**6.8.3 散体材料桩复合地基　composite foundation of granular material piles

竖向增强体为砂桩、砂石桩和碎石桩等散体材料桩的复合地基。

6.8.4 长短桩复合地基　composite foundation of long-short piles

由长桩和短桩共同形成的复合地基。长桩通常刚度比较大，短桩通常刚度比较小。

6.8.5 大直径现浇混凝土管桩复合地基　composite foundation of cast-in-place concrete large-diameter pipe piles

采用专用内外双层套管施工机械，在地基中形成大直径的现浇混凝土管桩，并与桩间土组成的复合地基。

6.8.6 灰土挤密桩复合地基　composite foundation of compacted soil-lime piles

利用挤压成孔设备成孔，使得桩间土得以挤密，孔内填入灰土并分层夯实形成灰土桩，并与桩间土组成的复合地基。

6.8.7 石灰桩复合地基　composite foundation of lime piles

在松软地基中成孔后，填入生石灰或生石灰混以其他掺合料，分层夯实形成竖向增强体，并与桩间土组成的复合地基。

6.8.8 砂石桩复合地基　composite foundation of sand-gravel piles

采用振冲法或振动沉管法等工法将碎石、砂或砂石混合料压入已成的孔中，挤密或振密形成密实的竖向桩体，与桩间土形成的复合地基。

6.8.9 水泥土桩复合地基　composite foundation of cement soil piles

以水泥土桩作为地基竖向增强体形成的复合地基。根据工法不同可分为水泥搅拌桩复合地基和高压旋喷桩复合地基。

6.8.10 水泥粉煤灰碎石桩复合地基　composite foundation of cement-fly ash-gravel piles

由水泥、粉煤灰、碎石、石屑或砂加水拌和,用各种成桩机械在土中灌注形成具有一定强度的竖向桩体,由桩、桩间土共同作用形成的复合地基。

6.8.11 多形桩复合地基 composite foundation of multiple reinforcement of different material or length

采用两种及两种以上不同材料的增强体,或采用同一材料、不同长度的增强体加固形成的复合地基。

6.9 土工合成材料

6.9.1 土工合成材料 geosynthetics

工程建设中应用的土工织物、土工膜、土工复合材料和土工特种材料的总称。

6.9.2 土工织物 geotextile

透水性土工合成材料。按制造方法不同,分为有纺土工织物和无纺土工织物。

6.9.3 有纺土工织物 woven geotextile

由纤维纱或长丝按一定方向排列机织的土工织物。

6.9.4 无纺土工织物 nonwoven geotextile

由短纤维或长丝按随机或定向排列制成的薄絮垫,经机械结合、热黏或化黏而成的织物。

6.9.5 土工膜 geomenbrane

由聚合物或沥青制成的相对不透水薄膜。

6.9.6 土工格栅 geogrid

由有规则的网状抗拉条带经定向拉伸形成的用于加筋的土工合成材料,包括塑料土工格栅、玻纤格栅、经编格栅和粘接或焊接而成的土工格栅等。

6.9.7 土工格室 geocell

由土工格栅、土工织物或土工膜、条带构成的蜂窝状或网格状三维结构材料。

6.9.8 土工模袋　geofabriform

由双层化纤(有纺)织物制成的连续或单独的袋状结构材料，其中充填混凝土或水泥砂浆，凝固后形成板状防护块体。

6.9.9 土工复合材料　geocomposite

由两种或两种以上材料复合成的土工合成材料。

6.9.10 土工网垫　geosynthetic fiber mattress

以热塑性树脂为原料制成的三维结构，其底部为基础层，上覆起泡膨松网包，包内填沃土和草籽，供植物生长。

6.9.11 土工合成材料加筋桩网基础　geosynthetic reinforced pile foundation

在软基中设置带桩帽的群桩，以土工合成材料在其上建传力承台，借桩群形成的拱作用将大部分堤身重量通过桩柱传递给桩下相对硬土层的桩网基础，又称加筋桩网结构。

6.9.12 聚苯乙烯板块　expanded polystyrene sheet(EPS)

聚苯乙烯中加入发泡剂膨胀经模塑或挤压制成的轻质板块。

6.9.13 土工合成材料膨润土垫　geosynthetic clay liner(GCL)

土工织物或土工膜间夹有膨润土或其他低透水性材料，以针刺、缝接或化学剂粘接成的一种隔水材料。

6.9.14 等效孔径　equivalent opening size(EOS)

土工织物干筛法试验中，标准砂留在筛上的质量占砂总质量95%所对应的筛孔孔径，又称表观孔径。

6.9.15 导水率　transmissivity

土工织物在层流状态下单位水力梯度时沿织物平面的单宽渗流量。

6.9.16 垂直渗透系数　coefficient of vertical permeability

垂直于土工合成材料平面方向上的渗透系数，即水流垂直于材料平面水力梯度等于1时的渗透流速。

6.9.17 水平渗透系数　coefficient of planar permeability

平行于土工合成材料平面方向上的渗透系数，即水流沿材料平面方向水力梯度等于1时的渗透流速,又称平面渗透系数。

6.10 岩土锚固

6.10.1 锚杆 bolting, anchor

用抗拉强度高于岩土体的杆体,杆体一端和岩土体紧密接触形成摩擦(或黏结)阻力,另一端形成对岩土体的径向阻力,依靠杆体的纵向拉力作用锚固岩土体、维护围岩稳定的杆状结构物。

6.10.2 锚索 anchor cable

用抗拉强度高于岩土体的钢索,钢索一端和岩土体紧密接触形成摩擦(或黏结)阻力,另一端形成对岩土体的径向阻力,依靠钢索的纵向拉力作用锚固岩土体、维护围岩稳定的索状结构物。

6.10.3 预应力锚杆 prestressed anchor

对锚杆杆体的自由段施加张拉力,使之弹性伸长而预先受到应力的锚杆。

6.10.4 非预应力锚杆 non-prestressed anchor

不施加预应力的锚杆。

6.10.5 预拉力锚杆 tensioned prestressed anchor

对锚杆施加预应力时,锚固段注浆体处于受拉状态的锚杆。

6.10.6 预压力锚杆 pressured anchor

对锚杆施加预应力时,锚固段注浆体处于受压状态的锚杆。

6.10.7 拉力分散型锚杆 tensioned multiple-head anchor

锚固段沿锚杆体分散设置的预拉力锚杆。

6.10.8 压力分散型锚杆 pressured multiple-head anchor

锚固段沿锚杆体分散设置的预压力锚杆。

7 基础工程

7.1 基础类型

7.1.1 基础 foundation
将结构所承受的各种作用传递到地基上的结构组成部分。

7.1.2 柔性基础 flexible foundation
刚度小、在竖向荷载作用下无抗弯能力,完全随地基变形的基础。

7.1.3 无筋扩展基础 unreinforced spread foundation
由砖、毛石、混凝土或毛石混凝土、灰土和三合土等材料组成的,不需配置钢筋的墙下条形基础或柱下独立基础。

7.1.4 扩展基础 spread foundation
将上部结构传来的荷载,通过向侧边扩展成一定底面积,使作用在基底的压应力等于或小于地基土的允许承载力,基础内部的应力同时满足材料本身的强度要求,起到压力扩散作用的基础。

7.1.5 深基础 deep foundation
一般指基础埋深超过 5m 或桩侧壁摩擦阻力不可忽略的基础。

7.1.6 浅基础 shallow foundation
一般指基础埋深不超过 5m 或桩侧壁摩擦阻力可以忽略的基础。

7.1.7 桩基础 pile foundation
由设置于岩土中的桩和连接于桩顶端的承台组成的基础。

7.1.8 独立基础 pad foundation, isolated foundation
用于传递集中荷载的单独基础。

7.1.9 条形基础 strip foundation

传递墙体荷载或柱荷载的条状基础。

7.1.10 筏形基础　raft foundation

柱下或墙下连续的平板式或梁板式钢筋混凝土基础。

7.1.11 箱形基础　box foundation

由底板、顶板、侧墙及一定数量内隔墙构成的整体刚度较好的单层或多层钢筋混凝土基础。

7.1.12 基础垫层　foundation cushion

设置在基础和地基土之间，用于隔水、排水、防冻以及改善基础和地基工作条件的低强度等级混凝土、三合土、灰土等铺垫层。

7.1.13 基础埋置深度　depth of foundation

基础埋于土层的深度，一般指从室外地坪至基础底面的垂直距离。

7.1.14 持力层　bearing stratum

直接承受基础荷载的一定厚度的地层。

7.1.15 下卧层　underlying stratum

位于持力层以下，并处于压缩层或可能被剪损深度内的各层地基土。

7.2 扩展基础

7.2.1 柱下钢筋混凝土独立基础　reinforced concrete pad foundation under columns

以钢筋混凝土为材料，用于传递柱下荷载的独立基础。

7.2.2 墙下钢筋混凝土条形基础　reinforced concrete strip foundation under walls

以钢筋混凝土为材料，用于传递墙体荷载的条状基础。

7.2.3 柱下条形基础　strip foundation under columns

连接上部结构柱列的条状钢筋混凝土基础。

7.2.4 十字交叉条形基础　crossed strip foundation

纵横两向柱列下条形基础构成的呈十字交叉形状的整体

基础。

7.2.5 锥形基础 cone foundation

竖向断面呈锥形的基础。

7.2.6 高杯口基础 high cuppy foundation

通过短柱与扩大部分相连的混凝土基础。

7.2.7 基础梁 foundation beam

置于地基上且在承受上部结构荷载后与地基沉降一致的钢筋混凝土梁。

7.2.8 地基反力 ground reaction force

作用于基础底面的、地基对于建筑物荷载的反向作用力。

7.3 筏形基础和箱形基础

7.3.1 梁板式筏基 beam-slab raft foundation

沿柱轴线纵横向设置肋梁的筏形基础。

7.3.2 平板式筏基 flat bed raft foundation

等厚度或局部厚度缓慢变化的钢筋混凝土板式筏形基础。

7.3.3 整体弯曲 overall bending

筏形基础和箱形基础作为一根整体的梁或一块整体的板，承受上部结构荷载和地基反力的作用而产生的弯曲。

7.3.4 局部弯曲 local bending

筏形基础和箱形基础底板由外墙、反梁或内隔墙划分为若干区格，以外墙、反梁或内隔墙为支撑的这些底板区格，承受板上荷载和地基反力的作用而产生的弯曲。

7.4 桩 基 础

7.4.1 摩擦桩 friction pile

桩顶竖向荷载由桩侧摩擦阻力承受，桩端阻力小到可忽略不计的桩。

7.4.2 端承桩 end-bearing pile, point-bearing pile

桩顶竖向荷载由桩端阻力承受,桩侧摩擦阻力可忽略不计的桩。

7.4.3 端承摩擦桩　end-support friction pile

桩顶竖向荷载主要由桩侧摩擦阻力承受的桩。

7.4.4 摩擦端承桩　friction and end bearing pile

桩顶竖向荷载主要由桩端阻力承受的桩。

7.4.5 抗拔桩　uplift pile

承受上拔力的桩。

7.4.6 挤土桩　displacement pile

成桩过程中存在明显挤土效应的桩,如沉管灌注桩、沉管夯(挤)扩灌注桩、打入(静压)预制桩、闭口预应力混凝土空心桩和闭口钢管桩等。

7.4.7 非挤土桩　non-displacement pile

成桩过程中不存在挤土效应的桩,如干作业法钻(挖)孔灌注桩、泥浆护壁法钻(挖)孔灌注桩、套管护壁钻(挖)孔灌注桩等。

7.4.8 部分挤土桩　partial displacement pile

成桩过程中存在部分挤土效应的桩,如冲孔灌注桩、钻孔挤扩灌注桩、搅拌劲芯桩、预钻孔打入(静压)预制桩、打入(静压)式敞口钢管桩、敞口预应力混凝土空心桩和 H 型钢桩等。

7.4.9 灌注桩　cast-in-place pile

通过机械钻孔、钢管挤土或人力挖掘等手段成孔,然后在孔内放置钢筋笼、灌注混凝土形成的桩。根据施工工艺可分为钻孔灌注桩、沉管灌注桩等。

7.4.10 预制桩　precast pile

在工厂或施工现场制作的桩,包括混凝土预制桩、预应力混凝土空心桩(预应力管桩)、钢桩、钢管桩等。根据施工工艺可分为打入桩、压入桩等。

7.4.11 组合桩　composite pile

由不同材料制作的桩段组成桩身的桩。

7.4.12 单桩基础 single pile supported foundation

由单桩(通常为大直径桩)承受和传递上部结构荷载的独立基础。

7.4.13 群桩基础 group piles supported foundation

由多根桩组成的具有群桩效应的桩基础。

7.4.14 基桩 single pile in pile foundaiton

桩基础中的单桩。

7.4.15 桩承台 pile caps

浇注于单桩或群桩桩顶,将上部结构荷载传递给桩或桩及桩间土的钢筋混凝土构件。

7.4.16 复合桩基 composite piled foundation

由基桩和承台下地基土共同承担荷载的桩基础。

7.4.17 单桩承载力 pile capacity

单根桩承受竖向荷载和水平荷载的能力。

7.4.18 单桩竖向极限承载力 ultimate vertical bearing capacity of single pile

单桩在竖向荷载作用下到达破坏状态前,或出现不适于继续承载的变形时所对应的最大荷载。

7.4.19 单桩水平极限承载力 ultimate horizontal bearing capacity of single pile

单桩在水平向荷载作用下到达破坏状态前,或出现不适于继续承载的变形时对应的最大荷载。

7.4.20 单桩竖向极限抗拔承载力 ultimate uplift bearing capacity of single pile

单桩在竖向上拔荷载作用下到达破坏状态前,或出现不适于继续承载的变形时对应的最大荷载。

7.4.21 桩侧阻力 pile side resistance

在竖向荷载作用下,桩身侧表面产生的岩土阻力。

7.4.22 桩端阻力 pile tip resistance

在竖向荷载作用下,桩端产生的岩土阻力。

7.4.23 负摩阻力 negative skin friction, negative shaft resistance

桩周土由于自重固结、湿陷、地面荷载作用等原因而产生大于基桩的沉降所引起的对桩表面的向下摩阻力。

7.4.24 桩的中性点 neutral point of pile

桩周土层沉降与桩沉降相等的位置,是正、负摩阻力的分界点。

7.4.25 下拉荷载 drop-down load

作用于单桩中性点以上的负摩阻力之和。

7.4.26 群桩效应 effect of pile group

群桩基础在荷载作用下,由于承台、桩、土的相互作用使其桩侧阻力、桩端阻力、沉降等性状发生变化而与单桩明显不同的一种效应。

7.4.27 群桩效应系数 pile group effect coefficient

群桩极限承载力与每根单桩极限承载力之和的比值。

7.4.28 桩的水平变形系数 horizontal deformation coefficient of pile

计算桩基水平承载力时,由桩身计算宽度、桩身抗弯刚度以及地基土水平抗力系数等确定的计算系数。

7.4.29 土塞效应 plug effect

敞口空心桩在沉桩过程中土体挤入管内形成的土塞,对桩端阻力的发挥程度产生影响的效应。

7.4.30 桩基等效沉降系数 equivalent sedimentation coefficient of pile foundaiton

弹性半无限体中群桩基础按明德林(Mindlin)解计算沉降量与按等代墩基布辛涅斯克(Boussinesq)解计算沉降量之比,用以反映明德林解应力分布对计算沉降的影响。

8 土石方工程

8.1 土工构筑物

8.1.1 土石方工程 earthwork engineering

土建工程中岩土体开挖、运送、填筑、压密,以及弃土、排水、土壁支撑等工作的总称。

8.1.2 土石坝 earth-rock dam

用土、石等当地建筑材料填筑的坝。

8.1.3 土坝 earth dam

利用当地土料和砂、砂砾、卵砾等为主要建筑材料填筑成的坝。

8.1.4 均质土坝 homogeneous earth dam

坝体由一种土料填筑的坝。

8.1.5 堆石坝 rockfill dam

用堆石料等作为主体材料,经碾压、抛填或定向爆破建成的土石坝。

8.1.6 心墙堆石坝 core rockfill dam

在坝内中间部位以土料、沥青混凝土或其他低透水性材料建成防渗体的堆石坝。

8.1.7 面板堆石坝 concrete face rockfill dam

上游坝坡浇筑钢筋混凝土面板、沥青混凝土面板、复合土工膜等作为防渗盖面的堆石坝。

8.1.8 碾压土坝 rolled fill earth dam

用土石料以分层碾压方法建成的坝。

8.1.9 水坠坝 sluicing-siltation dam

利用水力和重力将高位土场土料冲拌成一定浓度的浆体,引流到坝面,经脱水固结形成的土坝,又称为水力冲填坝。

8.1.10 重力坝　gravity dam

主要依靠自身重量抵抗外力作用、保持强度和稳定,由混凝土或浆砌石修筑的大体积挡水建筑物。

8.1.11 拱坝　arch dam

在平面上呈拱形、凸边面向上游,把一部分水平荷载通过拱的作用传递给两岸的挡水建筑物。

8.1.12 心墙　core wall

位于土石坝内中心部位,以防渗土料或其他低透水性材料建成的防渗体。

8.1.13 坝壳　dam shell

心墙堆石坝防渗体以外的主体部分。

8.1.14 反滤层　filter

设在土、砂与排水设施之间或细、粗土料之间,为防止细颗粒流失及保证排水畅通,通常以符合要求级配的砂砾料或土工织物做成的料层。

8.1.15 过渡层　transition zone

位于刚度差异较大的材料之间,主要起协调两侧材料变形功能的料层。

8.1.16 主堆石区　main rockfill zone

面板堆石坝坝体上游部分的堆石体,为承受水荷载的主要支撑体。

8.1.17 次堆石区　downstream rockfill zone

面板堆石坝体下游部分的堆石体,与主堆石区共同保持坝体稳定。

8.1.18 排水体　drainage zone

坝体内及坝体底部粒径较均匀、强透水的堆(砾)石区,分为竖向和水平排水区。

8.1.19 垫层区　cushion zone

位于面板堆石坝面板下的直接支撑体,向堆石体均匀传递水压力,辅助渗流控制。

8.1.20 护坡　slope protection

保护土石坡面免受冲刷、侵蚀而铺筑的设施,通常有抛石、干砌石、浆砌石、预制混凝土、钢筋混凝土、沥青混凝土、草皮等类型。

8.1.21 排水棱体　prism drain

土石坝坝趾处用块石堆砌成的排水设施,又称堆石排水、排水锥形体、滤水坝趾。

8.1.22 防浪墙　parapet wall

设置在坝顶上游侧,为防止波浪翻越坝顶的挡水墙。

8.1.23 混凝土防渗墙　concrete diaphragm wall

在松散透水地基中连续造孔,以泥浆固壁、往槽内灌注混凝土而建成的墙形防渗建筑物。

8.1.24 截水墙　cut-off wall

用人工挖槽或立模浇注、打桩构筑等方法,设置于坝基或防渗体中用以加长渗径、控制渗流的隔墙。

8.1.25 防渗铺盖　impervious blanket

设在闸、坝上游,以不透水土料、土工膜或混凝土铺成的旨在增长渗径,减小渗流坡降,防止渗透变形和过量渗漏的水平防渗设施。

8.1.26 帷幕　curtain

沿坝基及其两岸延伸部分的地下连续防渗幕体。

8.1.27 围堰　cofferdam

为创造施工条件,用以维护水工建筑物施工场地的临时挡水建筑物。用土料、砂砾料或石渣修建的围堰称为土石围堰,有时作为土石坝坝体的一部分。

8.1.28 减压井　relief well

在闸、坝、堤下游覆盖层中设置的,旨在减小层内承压水压力或渗透压力的竖井。

8.1.29 丁坝 groin, spur dike

从河道岸边延伸,在平面上和岸边线形成丁字形的河道整治建筑物。

8.1.30 顺坝 longitudinal dike

与水流方向平行或呈锐角,顺向布置的一种河道整治建筑物。

8.1.31 堤 dike, levee

沿河、渠、湖、海岸边或行洪区、分洪区、围垦区边缘修建的挡水构筑物。

8.1.32 淤地坝 check dam for building farmland

为了滞洪拦泥、淤地造田等,在水土流失区支、毛沟内修建的堤坝。

8.1.33 谷坊 check dam

为固定沟床、防止水土流失横跨沟谷而建成的小型土石坝或砌石坝。

8.1.34 尾矿坝 tailing dam

利用水力选矿后的泥浆矿渣(尾矿)或当地材料筑成的坝式建筑物,用以蓄积尾矿。

8.1.35 灰坝 ash dam

用于贮存火力发电厂排放的粉煤灰、渣等的坝式建筑物。

8.1.36 子坝 subdam

采用分期施工的尾矿坝或灰坝,在坝前沉积尾矿(灰)面上加高的坝体。

8.1.37 渠道 channel, canal

人工开挖或填筑的具有规则断面的水道。

8.1.38 路基 subgrade

按照路线位置和一定技术要求修筑的作为路面基础的带状构造物。

8.1.39 路堤 embankment

高于原地面的土石料填方路基。

8.1.40 路堑 cutting

低于原地面的挖方路基。

8.1.41 侧沟 side ditch

沿路堑和路堤两侧开挖的用于截排水的纵向沟槽。

8.1.42 反压平台(反压马道) back pressure berm

在土堤和土坡侧面延伸堆筑的,利用其重量产生的抵抗力矩增加堤坡整体稳定性的,有一定宽度和高度的土、石台体。

8.1.43 挖方 excavation, cut

从原地面挖除土石方的工程。

8.1.44 填方 fill

用于填筑堤坝、路堤、房基等的土石方工程。

8.1.45 港口堆场 port storage yard

在港区内堆存货物的露天场地。

8.1.46 基床 foundation bed

直接支撑建筑物、构筑物,并将上部荷载传给地基的传力层。

8.1.47 路床 road bed

道路基层下部一定深度的地基,土质路床又称土基。

8.1.48 道路路面 road pavement

道路顶面直接供车辆行驶,承受车辆荷载和降水与温度变化的结构层。

8.1.49 道路基层 base course

主要承受由面层传来的车轮荷载,并将其扩散分布于其下地基中的结构层。

8.1.50 围垦工程 reclamation

在水边滩地筑封闭围堤,并在堤内排水疏干、垫高地面或泵吸泥沙吹填造地的工程措施。

8.1.51 吹填工程 dredging reclamation engineering

采用吹填方法取土,输送到陆地或水下边滩等处进行填筑的工程。

8.1.52 防波堤　breakwater

为防御波浪侵袭,维护港内水域平稳,保证船舶在港内安全停泊和进行装卸作业而建在海岸或港口外侧水域中的建筑物。

8.1.53 海堤　seawall

用于挡潮、防浪,保护海岸或河口海滨的水工建筑物。

8.1.54 人工岛　artificial island

在近岸浅海水域中人工建造的陆地和海上建筑物。

8.2　施工技术与方法

8.2.1 土石料开采　earth and rock excavation

在选定的料场开挖土、沙砾、石料并加工成合格建筑材料的施工过程。

8.2.2 土石料填筑　earth and rock filling

将合格的土、沙砾、石料运至指定位置,按设计要求填筑的施工过程。

8.2.3 土石料压实　compaction of earth and rock

对土石料施加重力、冲击力或振动,使其颗粒产生位移,以减少孔隙、增加密度的施工过程。

8.2.4 土石料夯实　tamping of earth and rock

利用重物使其反复自由坠落,对地基或填筑土石料进行夯击,以提高其密实度的施工作业。

8.2.5 施工导流　construction diversion

为工程创造施工条件,按照预定方案将河水通过导流泄水建筑物或束窄的河床导向下游的工程措施,有断流围堰导流和分期围堰导流两种基本方式。

8.2.6 爆破　blasting

利用炸药的爆炸能量破坏某物体的原结构,以达到某预定目的的一种工程技术。

8.2.7 挖沟法　trench cut method

大面积开挖时,应用挡土壁及支撑先开挖两端部分并构筑主体结构,然后利用两边主体结构当支挡再开挖中间部分的开挖方法。

8.2.8 碾压试验　rolling compaction test

根据选用的碾压机械和填土料,在现场进行试碾压,以确定为达到规定密度的土的最佳含水率、合理铺土厚度、每层土的碾压遍数、压后的土层厚度和确定合理施工工艺的试验。

8.2.9 地下水控制　control of groundwater

开挖过程中为保证施工不受地下水干扰,防止地基土变形以及降低支护所受压力而采取的降水或隔水措施,或在隔水区外为防止施工降水造成邻近建筑物过大沉降而在隔水区外进行的地下水回灌。

8.2.10 排水法　drainage method

在地下开挖工程中排出地下水,使水位降至开挖底面以下或进行土层疏干,或降低土中含水率的工程措施。

8.2.11 降水法　dewatering method

减小地下水压力和防止涌水的降低地下水位的方法。

8.2.12 井点降水　well point dewatering

围绕施工场地布置管井群,抽水以降低场地地下水位的工程措施。

8.2.13 辐射井　radial well

由大直径竖井和从竖井向四周含水层伸进的辐射向水平滤水管组成的排水系统。

8.2.14 深井法　deep well method

在透水层中挖掘深井,汲水以降低地下水位,防止涌水,减小地下水压力的一种工程措施。

8.2.15 导流洞　diversion tunnel

在河床中进行基坑开挖作业时,将上游河水改道,引向下游的地下过水通道。

8.2.16 上游式筑坝法 upstream embankment method
在初期坝上游方向填筑子坝分级加高坝体的筑坝方式。

8.2.17 中线式筑坝法 centerline embankment method
在初期坝坝顶及两侧逐级填筑加高坝体,坝轴线位置基本不变的筑坝方式。

8.2.18 下游式筑坝法 downstream embankment method
在初期坝下游方向分级加高坝体的筑坝方式。

8.2.19 疏浚 dredging
为疏通、扩宽或挖深河湖或其他水域,用人力或机械进行水下土石方开挖的施工方法。

8.2.20 吹填 hydraulic fill
用疏浚机械开挖取土,经泥浆泵输送泥浆冲填坑塘、加高地面、水下或陆上填筑的施工方法。

8.2.21 吹填筑堤 dike constructed by hydraulic fill
用吹填土筑堤或填筑堤基。

8.2.22 吹填固堤 dike consolidated by hydraulic fill
用吹填土加固堤脚或填平近堤渊塘。

8.2.23 吹填围埝 reclamation dike
筑于吹填区边界线上,阻拦吹填泥浆外溢的围堤,又称吹填围堰。

8.2.24 水上抛填 dumping and filling on water
用水上运输工具进行砂石料等的填筑作业。

8.2.25 水下基床夯实 compaction of underwater bedding
对水工建筑物水下抛石基床进行捣实的作业,主要有重锤夯实等。

9 地下工程与基坑工程

9.1 地下空间

9.1.1 地下空间 underground space

位于地表以下,可以利用的空间。

9.1.2 城市地下空间 urban underground space

为了满足人类社会生产、生活、交通、环保、能源、安全、防灾减灾等需求,而在城市规划区内地表以下进行开发、建设与利用的地下空间。

9.1.3 地下综合体 underground complex

在城市公共活动中心、大型交通枢纽、大型公共建筑集群等区域,将步行、车行、停车等交通功能与商业、文化娱乐、服务等功能有机结合,沿三维立体空间发展并进行空间集约与整合而形成的大型多功能地下空间设施。

9.1.4 地下室 basement

房间地平面低于室外地平面的高度超过该房间净高的 1/2 的人工地下空间。

9.1.5 人防地下室 civil air protection basement

为保障人民防空指挥、通信、掩蔽等需要,具有预定防护功能的地下室。

9.1.6 地下洞室 underground openings

在地下岩土体中开挖的洞穴和通道。

9.1.7 地下通道 underground express

供人、车辆通行的地下连接通道。

9.1.8 共同沟 utility tunnel

将设置在地面、地下或架空的各类公用类管线集中容纳于一体,并留有供检修人员行走通道的隧道结构。

9.1.9 隧道　tunnel

道路、铁路、水渠等遇到土、岩、水体障碍时开凿的穿过山体或水底的内部通道。

9.1.10 铁路隧道　railway tunnel

修建在地下或水下,铺设轨道供铁路机车车辆通行的建筑物。

9.1.11 公路隧道　road tunnel

供汽车和行人通行的隧道,一般分为汽车专用和汽车与行人混用的隧道。

9.1.12 横通道　horizontal adit

将隧道划分成几个工区进行施工时,为搬入材料和出渣等而设置的接近水平的作业坑道,有时也用于营运通风。

9.2 地下工程

9.2.1 地下工程　underground engineering

深入地面以下为开发利用地下空间资源所建造的地下土木工程,包括地下房屋、地下构筑物、地下铁道、公路隧道、铁路隧道、水下隧道、地下共同沟和过街地下通道等。

9.2.2 井巷工程　sinking and drifting engineering

为采矿在地下开凿的井筒、巷道、硐室等工程。

9.2.3 井筒　shaft,inclined shaft

在地下开凿的联络地下与地面的主要通道。

9.2.4 巷道　roadway,road,drift

服务于地下开采,在岩体或煤层中开凿的不直通地面的水平或倾斜通道的总称。

9.2.5 竖井　vertical shaft,shaft

为查明工程地质情况和在隧道施工中开挖的垂直井道。

9.2.6 斜井　inclined shaft

地面通向地下的倾斜通道。

9.2.7 导洞 guide adit

隧道施工中,为探查掌子面前方的地质条件,并为整个隧道作导向而开挖的小断面坑道。

9.2.8 洞门 portal

在隧道的洞口部位,为挡土、坡面防护等而设置的隧道结构物。

9.2.9 衬砌 tunnel lining

为保证隧道周围岩体稳定,防止其过度变形和塌落,保证洞断面尺寸或使洞内有良好排水条件而沿洞内壁构筑的永久性支护结构。

9.2.10 仰拱 inverted arch

为改善隧道上部支护结构受力条件而设置在隧道底部的反向拱型结构。

9.2.11 连拱隧道 multi-arch tunnel

两洞拱部衬砌结构通过中柱相连接的隧道结构。

9.2.12 冠梁 top beam

设置在支护结构顶部的钢筋混凝土连梁。

9.2.13 腰梁 middle beam

设置在支护结构顶部以下传递支护结构与锚杆或内支撑支点力的钢筋混凝土梁或钢梁,又称围檩。

9.2.14 围岩 surrounding rock

由于开挖,地下工程周围初始应力状态发生了变化的岩体。

9.2.15 冒顶 roof fall

地下洞室的顶部围岩发生塌落的现象。

9.2.16 岩爆 rock burst

在地应力高的岩体中开挖峒室,岩石被挤压到弹性限度,围岩应力突然释放、表面自行松弛破坏,岩块破裂发生弹射或剥落的动力现象。

9.2.17 偏压 unsymmetrical pressure

作用于隧道的压力左右不对称,一侧压力较大,不对称荷载作用于隧道结构上的情况。

9.2.18 围岩应力 surrounding rock stress, secondary stress

开挖地下洞室时发生重分布后的围岩中的应力,又称二次应力。

9.2.19 围岩压力 surrounding rock pressure

隧道开挖后,因围岩变形或松散等原因,作用于洞室周边岩体或支护结构上的压力。

9.2.20 非开挖法 trenchless method

利用定向钻进等手段在地表不明挖的情况下,进行地下管线铺设、更换或修复等施工的方法。

9.2.21 明挖法 cut-and-cover method

埋置较浅的工程先从地表面向下开挖,修筑衬砌之后再回填的施工方法。

9.2.22 暗挖法 subsurface excavation method

不挖开地面,全部在地下进行开挖和修筑衬砌结构的施工方法。

9.2.23 盖挖顺筑法 cover and cut-bottom up

在地面修筑维持地面交通的临时路面及其支撑后,自上而下开挖土方至坑底设计标高,再自下而上修筑结构的施工方法,属明挖法的一种。

9.2.24 盖挖逆筑法 cover and cut-top down

作业顺序与传统的明挖法相反,开挖地面修筑结构顶板及其竖向支撑结构后,在顶板的下面自上而下分层开挖土方分层修筑结构的施工方法,属明挖法的一种。

9.2.25 钻爆法 drilling-blasting method

在隧道岩面上钻眼,装填炸药爆破,用全断面开挖或分部开挖等将隧道开挖成型的施工方法。

9.2.26 隧道掘进机法 tunnel boring machine method

利用回转刀具开挖,同时破碎洞内围岩及掘进,形成整个隧道断面的一种机械施工方法。

9.2.27 浅埋暗挖法 shallow underground excavation method

在距离地表较近的地下进行各种类型地下洞室暗挖的施工方法。

9.2.28 盾构法 shield method

利用钢制壳体内配有开挖和拼装衬砌管片等的盾构设备,在钢壳体的保护下进行开挖、推进、衬砌和注浆等作业,修筑隧道的暗挖施工方法。

9.2.29 沉管法 immersed tube method

预制管段沉放法的简称,将若干个预制管段分别浮运到海面(河面)现场,一个接一个地沉放安装在已疏浚好的基槽内,修筑水底隧道的施工方法。

9.2.30 冻结法 freezing method

在不稳定含水地层中修建地下工程时,借助人工制冷手段暂时加固地层和隔断地下水的一种特殊施工方法。

9.2.31 新奥法 New Austrian Tunnelling Method

以岩体力学理论和现场围岩变形观测资料为基础,采取喷锚支护措施,以充分发挥围岩自身承载能力,进行隧道开挖和支护的施工方法。

9.2.32 超前导坑 advancing drift

因隧道断面较大或围岩条件复杂等,在开挖中采用全断面法困难的情况下,往往在隧道的开挖断面内超前开挖小断面的隧道,这种小断面的隧道称为超前导坑。

9.3 基 坑 工 程

9.3.1 基坑 foundation pit

为进行工程基础或地下构筑物的施工,在地面以下开挖的空间。

9.3.2 基坑工程 foundation pit engineering

为挖除建（构）筑物地下结构处的土方,保证主体地下结构的安全施工及保护基坑周边环境而采取的围护、支撑、降水、加固、土方开挖和回填等工程措施的总称。

9.3.3 围护墙 retaining wall

设置在基坑周边,承受作用于基坑侧壁上各种荷载并起隔水作用的墙体。

9.3.4 支撑 struct

由钢或钢筋混凝土构件组成的用以支撑基坑侧壁的结构。

9.3.5 隔水帷幕 waterproof curtain

阻隔或减少地下水通过基坑侧壁与基底流入基坑而设置的幕墙状竖向截水体。

9.3.6 喷锚支护 shotcrete-bolt support

由混凝土、锚杆和钢筋网等组合而成的支护结构。

9.3.7 复合土钉支护 compound soil nailing wall

由土钉、锚杆（索）、原状土层、混凝土面层及超前支护组成的围护体。

9.3.8 水泥土重力式围护墙 cement-soil gravity wall

由纵横多列连续搭接的"格栅状"水泥土桩形成的重力式围护墙体。

9.3.9 灌注桩排桩围护墙 contiguous bored pile wall

由现浇钢筋混凝土桩连续排列形成的墙体。

9.3.10 型钢水泥土搅拌墙 soil steel mixing wall

在连续搭接的水泥土桩内插入型钢形成的复合挡土隔水结构。

9.3.11 板桩围护墙 sheet pile wall

由钢板桩或预制钢筋混凝土板桩连续排列形成的墙体。

9.3.12 逆作法 top-down method

利用主体地下结构的全部或一部分作为内支撑,按楼层自上而下并与基坑开挖交替进行的施工方法。

9.3.13 集水明排 drainage by gully

基坑工程施工时,采取构筑排水沟、排水管及集水井等措施有组织地排除坑内外积水的方法。

9.3.14 放坡开挖 sloped open cut method

基坑内侧形成斜向土坡的挖土方式。

9.3.15 盆式开挖 berme excavation

在坑内周边留土,先挖除基坑中部的土方,形成盆状土体,在基坑中部支撑形成后再挖除基坑周边土方的开挖方法。

9.3.16 岛式开挖 island excavation

先开挖坑内周边的土方,挖土过程中在基坑中部形成岛状土体,然后开挖基坑中部土方的开挖方法。

9.3.17 基坑底隆胀 heaving of foundation pit bottom

开挖工程中因覆盖压力减小,坑底产生的向上隆胀现象。

10 边坡工程

10.1 边坡及其破坏形式

10.1.1 边坡　slope

地表天然地质和工程地质的作用范围内,具有露天侧向临空面的地质体,是广泛分布于地表的一种地貌形态,包括自然边坡和人工边坡。

10.1.2 自然边坡　natural slope

天然存在的,由自然营力形成的边坡。

10.1.3 人工边坡　man made slope, cut slope, excavated slope

人工开挖或填筑而形成的边坡。

10.1.4 临时边坡　temporary slope

仅在短时间或工程施工期处于临空状态,修建建筑物后不再处于临空状态的边坡,一般年限不超过2年。

10.1.5 永久边坡　permanent slope

长期处于临空状态的边坡,一般年限超过2年。

10.1.6 高边坡　high slope

土质边坡高度大于30m、岩质边坡高度大于50m的边坡。

10.1.7 潜在滑动面　potential slip surface

具有特定的物理力学和几何条件,可能成为边坡稳定体与滑动体分离的界面。

10.1.8 崩落破坏　fall

自由崩落、弹跳式下落和土或基岩碎块的滚动,也称崩塌破坏。

10.1.9 倾倒破坏　topple

层状岩层构成的陡倾逆向坡在重力作用下向临空一侧的弯曲折断。

10.1.10 侧向扩张　lateral spread
由于边坡下面的物质产生液化或塑流,边坡上的破裂体发生侧向扩张的移动的现象。

10.1.11 流动破坏　flow damage
连续变形或蠕变,一般滑动面不明显或是暂时的,移动速度快慢不等。

10.1.12 滑塌　slump
松散物质或者岩体沿一定的面发生位移或滑动破坏的现象。

10.1.13 楔形破坏　wedge failure
两个交叉的不连续面切割出的楔形岩体发生滑动。

10.1.14 圆弧滑动　circular sliding
边坡破坏面沿圆弧形的迹线。

10.2　边坡稳定性分析

10.2.1 边坡塌滑区　landslip zone of slope
计算边坡最大侧压力时潜在滑动面和控制边坡稳定的外倾结构面以外的区域。

10.2.2 等效内摩擦角　equative angle of internal friction
考虑岩土黏聚力影响的假想内摩擦角,也称似内摩擦角。

10.2.3 边坡地质模型　slope geologic model
边坡类型、边坡结构类型、可能的失稳模式等边坡综合信息的组合。

10.2.4 滑坡编图　landslide inventory, landslide mapping
通过各种技术编制某一区域的过去和现在的滑坡状况的系统性图集。

10.2.5 滑坡敏感性评价　landslide susceptibility assessment
对区域内现有或潜在滑坡的类型、体积和空间分布的定量或定性评价。

10.2.6 滑动面　sliding surface, sliding plane, slip surface

滑坡体沿之滑动的剪切破坏面。

10.2.7 滑动带 sliding zone

滑坡体与滑床间具有一定厚度的滑动碾碎物质的剪切带。

10.2.8 抗滑力 resistance force

抵抗滑动或破坏的力。

10.2.9 临界高度 critical slope height

达到极限平衡时开挖的土坡竖向高度或软土地基上的填土高度。

10.2.10 临界边坡角 critical slope angle

边坡在不加支护条件下保持稳定的最大角度。

10.2.11 稳定分析 stability analysis

对外荷载作用下地基岩土抵抗剪切破坏的稳定程度，或对由于开挖和填方形成的土坡及自然斜坡的稳定性评价的计算和分析。

10.2.12 稳定数 stability number

评价土坡稳定性时，土坡高度和坡土重度的乘积对土的黏聚力的无量纲比值。

10.2.13 条分法 method of slice

进行土坡稳定分析时，将假定的滑动土体横断面按一定宽度划分成若干竖条，求各竖条上各力对滑弧圆心的抗滑力矩和滑动力矩，然后求各力矩的总和，计算稳定性安全系数的方法。

10.2.14 剩余推力法 residual thrust method

根据滑动面起伏情况进行条分，计算条块的剩余推力，求得边坡安全系数的稳定计算方法。

10.2.15 滑坡风险 landslide hazard, landslide risk

潜在的滑坡在指定的时间或者给定区域内发生的概率。

10.3 边坡设计与加固

10.3.1 边坡支护 slope retaining

为保证边坡及其环境的安全，对边坡采取的支挡、加固与防护措施。

10.3.2 永久支护 permanent support

由支挡、锚固等方法,使边坡支护结构能满足工程寿命期的工程措施。

10.3.3 坡率法 slope ratio method

通过调整、控制边坡坡度和采取构造措施保证边坡稳定的边坡治理方法。

10.3.4 减载 unloading

采用从边坡顶部开挖的方法,减少边坡自身荷载,提高边坡稳定性的措施。

10.3.5 控制爆破 control blasting

限制开挖爆破阶段所产生的后冲破裂所采用的爆破技术,减少震动级程。

10.3.6 锚固块 anchor block

锚杆在地表或头部的钢锚固板,在拉伸条件下卡紧锚杆。

10.3.7 锚杆挡墙 retaining wall with anchors

由锚杆(索)、立柱和面板组成的支护。

10.3.8 锚喷支护 anchor-plate retaining

由锚杆和喷射混凝土面板组成的支护。

10.3.9 挡土墙 retaining wall

为阻止岩土体的移动或截断土坡的延伸而设置的挡土构筑物。

10.3.10 重力式挡墙 gravity retaining wall

依靠自身重力使边坡保持稳定的构筑物。

10.3.11 扶壁式挡墙 counterfort retaining wall

断面呈倒T型或L型,墙背面纵向按一定间距设置扶壁的挡墙。

10.3.12 砌体挡墙 masonry retaining wall

以堆砌或浆砌石或砖块等构筑的挡墙。

10.3.13 支墩式挡墙　buttress retaining wall

与扶壁式挡墙相反,在墙前底板上,纵向按一定间距设置支垛的挡墙。

10.3.14 悬臂式挡墙　cantilever retaining wall

通常由钢筋混凝土墙板组成,靠自重与底板上土重抵抗土压力断面常呈 T 型或 L 型的挡墙。

10.3.15 锚定板墙　anchor slab wall

一种由墙面系统、钢拉杆、锚定板和填土共同组成的轻型挡墙。

10.3.16 板桩墙　sheet pile wall

用以防止土体崩塌而打设的连续板桩,有时为以锚杆的拉力和板桩下部的被动压力来承受墙背后土压力的板墙。

10.3.17 加筋土挡墙　reinforced soil wall

利用土内拉筋与土之间的相互作用,限制墙背填土侧胀,或以土工织物层层包裹土体以保持其稳定的由土和筋材建成的挡墙。

10.3.18 抗滑洞塞　shear plug

岩质边坡体内用混凝土回填、起抗滑作用的洞塞。

10.3.19 抗滑桩　slide resistant pile

穿过滑坡体深入滑床的桩柱,用以支挡滑体的滑动力,起稳定边坡的作用,适用于浅层和中厚层的滑坡,是抗滑处理的主要措施。

10.3.20 主动桩　active pile

桩顶横向荷载、桩身周线偏离横向位置、桩身所受土压力因桩主动变位而产生的桩。如风力、地震力、车辆制动力等作用下的建筑物桩基。

10.3.21 被动桩　passive pile

沿桩身一定范围内承受侧向压力,桩身轴线受该土压力的作用而偏离初始位置。深基坑支挡桩、坡体抗滑桩、堤岸护桩等均属于被动桩。

10.3.22 树根桩   root pile

采用钻机在地基中成孔,放入钢筋或钢筋笼,通过注浆管向孔中注入水泥浆或水泥砂浆,结合碎石骨料形成小直径的钻孔灌注桩,一般直径13cm~30cm,桩长5m~25m。

10.3.23 锚索桩   anchor pile

在抗滑桩顶部施加锚索,使抗滑桩和锚索有机结合。锚索的另一端穿过滑坡体后锚固于滑床下稳定岩土内,使桩-锚索-锚固段与桩周岩土体组成一个联合受力体系。

10.3.24 喷射混凝土   shotcrete

借助喷射机械,利用压缩空气或其他动力,将按一定配比的拌和料,通过管道运输并以高速喷射到受喷面上,迅速凝结固化而成的混凝土。

10.4 边坡监测与预报

10.4.1 边坡稳定性观测   observation of slope stability

为判明各种工程的边坡或自然边坡的稳定性而进行的测量工作。

10.4.2 观测井   observation well

边坡上用来观察自然条件下地下水位的钻孔。

10.4.3 边坡预报   forecasting of slope stability

预先判定边坡失稳破坏的发生时间及其滑动速度和危害范围的预报,可分为临滑预报、短期预报、中期预报和长期预报。

10.4.4 边坡预测   prediction of slope stability

判定边坡可能发生失稳破坏的时空特征及过程,包括边坡失稳的区域、地段和地点,破坏的基本类型和规模,以及可能造成的损失。

10.4.5 滑坡预警系统   landslide warning system

根据滑坡预报参数,提前进行预测的预报系统。

11 环境岩土工程

11.1 污染土处理

11.1.1 污泥　sludge
污水处理过程中产生的含有各种污染物的泥浆状沉淀物。

11.1.2 污泥处理　sludge treatment
污泥经浓缩、调治、脱水、稳定、干化或焚烧等单元工艺组合处理,实现"减量化、稳定化、无害化"的技术。

11.1.3 污泥固化　sludge solidification
通过在污泥中掺入固化材料,达到提高污泥强度、降低渗透性、改善压缩性能的过程。

11.1.4 污染土　contaminated soil
由于致污物质的侵入,使土的成分、结构和性质发生显著变化的土。

11.1.5 污染土修复　contaminated soils remediation
利用物理、化学和生物方法,转移、吸收、降解和转化土壤中的污染物,使其浓度降低到可以接受的水平,或者将有毒有害的污染物转化为无害的物质。

11.1.6 污染土处理　contaminated soil treatment
通过多种技术手段消除污染土对人和其他动植物危害的过程,包括水洗或者其他溶剂淋滤、化学处理、热处理、微生物处理,以及挖除、固化、覆盖、隔断等处理方法。

11.1.7 土地复垦　land reclamation
被破坏的土地,通过采取综合整治措施,使其恢复到可利用状态的活动。

11.1.8 生态恢复　ecological restoration

恢复被破坏的生态系统到接近于被破坏前的自然状况,即重建该系统干扰前的结构与功能及有关的物理、化学和生物学特征。

11.2 固体废弃物处理

11.2.1 固体废弃物 solid waste

人类在生产、消费、生活等活动中产生的固态、半固态废弃物质。

11.2.2 生活垃圾 domestic refuse,domestic garbage

在日常生活或日常生活服务中产生的,以及法律、行政法规规定为生活垃圾的固体废物。

11.2.3 建筑垃圾 construction waste

建设、施工单位或个人对各类建筑物、构筑物、管网等进行建设、铺设或拆除、修缮过程中所产生的渣土、弃土、弃料、余泥及其他废弃物。

11.2.4 危险性废物 dangerous waste

列入国家危险废物名录的,或者根据国家规定的危险废物鉴别标准和鉴别方法判定的,具有危险特性的废物。

11.2.5 渗沥液 leachate

垃圾在堆放和填埋过程中由于压实、发酵等物理、生物、化学作用,同时在降水和其他外部来水的渗流作用下产生的含有机或无机成分的液体。

11.2.6 垃圾填埋场 landfill site

用于处置生活垃圾,带有阻止垃圾渗滤液泄漏的人工防渗膜和渗沥液处理或预处理设施,运行、管理及维护,最终封场、关闭,符合卫生要求的垃圾处理场地。

11.2.7 填埋库区 compartment,waste filling area

填埋场中用于填埋垃圾的区域。

11.2.8 衬里系统 liner system

位于填埋场底部和四周侧面的一种隔离设施,用来将生活垃圾和周围环境隔开,以避免其污染周围的土地和地下水。

11.2.9 复合衬垫　composite liners

采用两种或两种以上防渗材料复合铺设形成的防渗系统。

11.2.10 压实黏土衬垫　compacted clay liner(CCL)

由经过处理的天然黏土机械压实形成的防渗衬层。

11.2.11 积液井(池)　leachate collection well

用于汇集填埋场渗沥液并可自流或利用提升泵将渗沥液排出的构筑物,或称集液井。

11.3 不良地质作用

11.3.1 不良地质作用　adverse geological process

由地球的内、外营力造成的对人类活动、工程建设或环境具有危害性的地质作用。

11.3.2 地质灾害　geological hazards

自然或者人为因素作用诱发产生的,危及人身、财产、工程或环境安全的地质现象。

11.3.3 地面沉降　ground settlement, land subsidence

因自然因素或人为活动引发地壳表层松散土层压缩并导致地面标高降低的地质现象。

11.3.4 塌陷　collapse

地表岩、土体因自然或人为因素失去平衡产生下沉或塌落,在地面形成塌陷坑(洞)的现象。

11.3.5 土洞　soil cave

发育在可溶岩上覆土层中的空洞。

11.3.6 岩溶塌陷　karst collapse

岩溶地区由于下部岩体中的洞穴扩大而导致顶板岩体的塌落,或上覆土层中的土洞顶板因自然或人为因素失去平衡产生下沉或塌落现象的通称。

11.3.7 岩溶陷落柱　karst collapse breccia column
　　埋藏型岩溶的地下溶洞顶部岩层及覆盖层失去支撑,发生坍塌和剥落而产生上小下大的锥状陷落体。

11.3.8 塌陷坑　collapse pit
　　地表岩层在较小范围内,瞬时急剧破坏其连续性,塌陷于坑洞之中所形成的形状各异的坑。

11.3.9 震陷　earthquake subsidence
　　由于地震引起高压缩性土软化或饱水粉土、粉细砂层液化而产生土层压密、塑性区扩大或强度降低,导致地面下沉或地基沉陷的现象。

11.3.10 地裂缝　ground fissure
　　地表岩层、土体在自然因素(地壳活动、水的作用等)或人类活动(抽水、灌溉、开挖等)作用下产生开裂,在地面形成一定长度和宽度的裂缝的地表破坏现象。

11.3.11 岩崩　rock fall
　　陡坡或悬崖上的岩体在重力作用下,突然向下崩塌或下坠滚落的地质现象。

11.3.12 危岩体　unstable rock
　　被多组不连续结构面切割分离,稳定性差,可能发生倾倒、坠落或滑塌等形式崩塌的地质体。

11.3.13 泥石流　debris flow
　　斜坡上或沟谷中松散碎屑物质(如泥沙、石块和巨砾等)在降水或积雪、冰川消融及重力作用下,沿斜坡或沟谷流动的特殊洪流,具有爆发突然、历时短暂、来势凶猛和破坏力巨大的特点。

11.3.14 堰塞湖　damming lake
　　随火山、地震、暴雨等自然灾害伴生的山体滑坡、泥石流堆积体以及冰水沉积物阻塞河道而形成的湖泊,属次生地质灾害。

11.3.15 堰塞坝　landslide dam
　　崩滑流引起的河流、沟溪堵塞形成的坝。

11.4 矿山环境与治理

11.4.1 矿山地质环境 mine geo-enviroment

采矿活动影响到岩石圈、水圈、生物圈相互作用的客观地质体。

11.4.2 矿山地质灾害 mine geo-hazards

矿业活动引起的危害矿区人员生命和财产的崩塌、滑坡、泥石流、地面塌陷、地裂缝、地面沉降等灾害。

11.4.3 矿区生态重建 ecological restoration of mine area

恢复或重建人类生产活动破坏的矿区生态系统,使其成为具有生物多样性和动态平衡,并与当地自然环境相和谐的生态系统的工作。

11.4.4 矿山塌陷 mine collapse

由矿山开采造成的地面塌陷现象。

11.4.5 采空区 goaf, mined-out area

井下因采矿后所废弃的空间。

11.4.6 闭坑 closure of mining

由于矿产资源储量枯竭后经审批可以废弃的矿山。

11.4.7 开采沉陷 mining subsidence

由于地下矿藏开采活动引起上覆岩层移动和变形的过程。

11.4.8 尾矿 tailings

选矿和工业生产中形成的细粒或粗粒的,采用水力输送排放,可用土的特征描述的固体物质。

11.4.9 尾矿库 tailing pond

筑坝拦截谷口或围堤构成的用以贮存尾矿的场所。

12 近海与海岸岩土工程

12.1 近海与海岸地质、地貌

12.1.1 大陆架　continental shelf

大陆边缘被海水淹没的浅平海底,大陆向海或洋自然延伸、坡度平缓的海底区域,范围从低潮线起向海方向缓慢倾斜,其外缘位于海底坡度显著增加的陆架坡折处,又称大陆棚、大陆浅滩。

12.1.2 大陆坡　continental slope

大陆架外缘向深海倾斜的斜坡,是陆壳与洋壳的过渡带。大陆坡上有洼地、阶梯状地形、孤山和海沟峡谷,多火山、地震。

12.1.3 深海区　abyssal region

水深超过2000m到平均水深10000m左右的连续水域,海底地形包括大陆基、海沟、大洋盆地等,占全部海洋面积的2/3。

12.1.4 半深海区　bathyal region

水深在200m~2000m的连续水域,海底地形为大陆坡,是大陆向深海的过渡地区。

12.1.5 浅海区　neritic region

低潮线至200m水深之间的地区,海底地形为大陆架,适宜生物生活,其宽度从几十公里到数百公里不等。

12.1.6 海湾　embayment

海洋伸入陆地的部分,由于海湾两侧或沿岸沙坝的障壁作用,水动力以潮汐为主,波浪作用较弱,常发育潮坪泻湖体系。

12.1.7 潮坪　tidal flat

沙质或泥质、近水平的海岸沼泽化平坦地,随着潮水升降而交替被淹没或露出,亦称潮间带。

12.1.8 潮道　tidal channel

在沙泥质潮坪上形成的冲沟,水道中由于潮水往返流动沉积物粒度较粗,常为砂粒和砾石,又称潮沟。

12.1.9 潮上带　supertidal zone

位于平均高潮线与最大涨潮线之间的区域,大潮或风暴潮时被海水淹没。

12.1.10 潮下带　subtidal zone

位于平均低潮线至浪基面之间的浅水地带,主要表现为较粗的浅滩或沙坝沉积。

12.1.11 近海沉积物　offshore sediment

靠近海岸水深 0~20m 范围内的海底沉积物。

12.1.12 海相沉积物　marine sediment

经海洋动力过程沉积在海底的各种物质,具有表征海洋环境的一系列岩性特征和生物特征。包括来自陆上的碎屑物、海洋生物骨骼和残骸、火山灰和宇宙尘等。

12.1.13 海相黏土　marine clay

海洋环境沉积所形成的黏性土。

12.1.14 海底软泥　seabed ooze

主要由生物残骸组成的大洋松散沉积物,包括钙质软泥和硅质软泥。

12.1.15 珊瑚砂　coral sand

分布在珊瑚岛或珊瑚礁周围,以珊瑚碎屑为主并有石灰藻、有孔虫、棘皮动物碎片组成的钙质砂,钙质含量达 90%。

12.1.16 海洋地质灾害　offshore geohazards

在海洋环境作用下形成的,对海上及海岸带地区的经济及人民生命财产的安全造成破坏的不良或灾害性地质作用,如地震海啸、海水入侵、海岸侵蚀、地面沉降和海底滑坡等。

12.1.17 海水入侵　seawater intrusion

海水渗入沿海地区地下含水层的现象。

12.1.18 海岸侵蚀　coast erosion

在风、浪、流、潮等自然力的作用下,海洋泥沙支出大于输入,沉积物净损失的过程,即海水动力的冲击造成海岸线的后退和海滩的下蚀。

12.1.19　海底滑坡　submarine slide

海底斜坡上未固结沉积物受重力作用,发生崩坍等引起急速物质移动的现象。

12.2　近海与海岸构筑物

12.2.1　近海工程　offshore engineering

在近海区域内(通常指大陆架范围以内)进行海洋资源开发和空间利用所采取的各种措施及构筑的相应工程设施。

12.2.2　海岸工程　coastal engineering

为了海岸防护、海岸带资源开发和空间利用,针对各种海岸环境所采取的措施及构建的相应工程设施。

12.2.3　海底管道　seabed pipeline

坐落在海底及全部或部分埋入海底的管道。

12.2.4　浮力沉垫　buoyant mat

沉垫自升式钻井平台和座底式钻井平台为减小坐落海底时对海床地基的压力所采用的具有巨大底面积的水密箱型结构。

12.2.5　码头　wharf,quay,pier

供船舶停靠、装卸货物或上下旅客的建筑物。

12.2.6　护岸工程　revetment works,bank protection works

保护岸坡、防止波浪和海流侵蚀的工程设施。

12.2.7　导堤　training jetty

在潮汐河口或海港进港航道的一侧或两侧修建的,用来束导水流、冲刷泥沙、增加或保持进港航道水深的纵向建筑物。

12.2.8　吸力式桶形基础　suction caisson foundation

在自重作用下沉入海底一定深度,桶内形成密封状态,通过泵系统从桶内往外抽水使得桶体内外形成压力差,从而整座沉贯的桶形基础,依靠桶内外侧摩擦阻力以及桶内土负压等提供抗拔、抗压及抗倾覆承载力。

附录 A 中文索引

A

暗挖法 ………………………………………… 9.2.22

B

坝壳 …………………………………………… 8.1.13
板桩墙 ………………………………………… 10.3.16
板桩围护墙 …………………………………… 9.3.11
半深海区 ……………………………………… 12.1.4
半无限弹性体 ………………………………… 5.2.1
饱和度 ………………………………………… 4.2.10
饱和土 ………………………………………… 4.2.11
爆夯 …………………………………………… 6.3.5
爆破 …………………………………………… 8.2.6
爆破挤淤 ……………………………………… 6.2.5
背斜 …………………………………………… 3.2.42
被动土压力 …………………………………… 5.2.70
被动桩 ………………………………………… 10.3.21
崩落破坏 ……………………………………… 10.1.8
比奥固结理论 ………………………………… 5.1.2
比表面积 ……………………………………… 4.1.4
闭坑 …………………………………………… 11.4.6
边坡 …………………………………………… 10.1.1
边坡地质模型 ………………………………… 10.2.3
边坡塌滑区 …………………………………… 10.2.1

边坡稳定性观测	10.4.1
边坡预报	10.4.3
边坡预测	10.4.4
边坡支护	10.3.1
扁铲侧胀试验	3.5.8
变质岩	3.2.7
标准贯入试验	3.5.5
表面力	5.2.12
冰碛土	3.2.20
波速测试	3.5.13
薄壁取土器	3.4.9
补给区	3.3.11
不均匀沉降	5.2.30
不均匀系数	4.1.15
不连续级配土	4.1.20
不良地质作用	11.3.1
不良级配土	4.1.19
不扰动土样	3.4.11
不透水层	3.3.10
部分挤土桩	7.4.8

C

采空区	11.4.5
残积土	3.2.14
残余强度	4.2.70
侧沟	8.1.41
侧向扩张	10.1.10
层间水	3.3.6
产状	3.2.50

长短桩复合地基	6.8.4
超固结比	4.2.54
超固结土	4.2.56
超静水压力	5.2.56
超前导坑	9.2.32
超载	5.2.13
潮道	12.1.8
潮坪	12.1.7
潮上带	12.1.9
潮下带	12.1.10
沉管法	9.2.29
沉积岩	3.2.6
沉降曲线	5.2.33
沉降速率	5.2.32
衬里系统	11.2.8
衬砌	9.2.9
承压水	3.3.5
承载力因数	5.2.47
城市地下空间	9.1.2
持力层	7.1.14
持水度	3.3.20
充填物	4.3.11
冲积扇	3.1.9
冲积土	3.2.17
冲剪破坏	5.2.45
冲填土	3.2.38
抽水试验	3.5.16
稠度界限	4.2.13
初始沉降	5.2.27

储水系数	3.3.16
触变性	4.2.65
吹填	8.2.20
吹填工程	8.1.51
吹填固堤	8.2.22
吹填围埝	8.2.23
吹填筑堤	8.2.21
垂直渗透系数	6.9.16
磁法勘探	3.4.16
次堆石区	8.1.17
次固结	4.2.47
次固结沉降	5.2.29
次固结系数	4.2.51
次生结构面	4.3.7
粗糙度	4.3.9
粗粒类土	4.1.23
脆性破坏	4.2.68

D

达西定律	5.1.6
大陆架	12.1.1
大陆坡	12.1.2
大直径现浇混凝土管桩复合地基	6.8.5
袋装砂井	6.4.2
单剪试验	4.2.96
单向固结	4.2.45
单轴抗压强度	4.4.16
单轴压缩变形试验	4.4.31
单桩承载力	7.4.17

单桩基础	7.4.12
单桩竖向极限承载力	7.4.18
单桩竖向极限抗拔承载力	7.4.20
单桩水平极限承载力	7.4.19
弹性应变	5.2.22
挡土墙	10.3.9
导堤	12.2.7
导洞	9.2.7
导流洞	8.2.15
导水率	6.9.15
导水系数	3.3.17
岛式开挖	9.3.16
道路基层	8.1.49
道路路面	8.1.48
等势线	5.2.62
等效孔径	6.9.14
等效内摩擦角	10.2.2
堤	8.1.31
地表水	3.3.1
地基承载力特征值	5.2.49
地基处理	6.1.1
地基反力	7.2.8
地基回弹	5.2.35
地裂缝	11.3.10
地貌	3.1.1
地貌单元	3.1.2
地面沉降	11.3.3
地球物理勘探	3.4.14
地下洞室	9.1.6

地下工程	9.2.1
地下径流	3.3.13
地下空间	9.1.1
地下连续墙质量检测	3.7.13
地下室	9.1.4
地下水	3.3.2
地下水等水位线图	3.6.6
地下水动力学	2.0.8
地下水腐蚀性	3.3.27
地下水监测	3.7.4
地下水控制	8.2.9
地下水硬度	3.3.26
地下水总矿化度	3.3.25
地下通道	9.1.7
地下综合体	9.1.3
地震勘探	3.4.19
地质构造	3.2.39
地质环境	3.2.1
地质环境要素	3.2.2
地质灾害	11.3.2
点荷载强度试验	4.4.34
电磁法	3.4.17
电法勘探	3.4.15
电渗加固	6.4.6
垫层	6.2.1
垫层区	8.1.19
丁坝	8.1.29
顶升纠倾	6.7.6
动单剪试验	4.2.99

动荷载	5.2.10
动三轴试验	4.2.98
冻结法	9.2.30
冻土	3.2.32
冻胀	4.2.79
冻胀力	4.2.80
冻胀量	4.2.81
洞门	9.2.8
独立基础	7.1.8
端承摩擦桩	7.4.3
端承桩	7.4.2
断层	3.2.47
断裂	3.2.44
堆石坝	8.1.5
堆载加压纠倾	6.7.7
堆载预压	6.4.4
盾构法	9.2.28
多年冻土	3.2.33
多形桩复合地基	6.8.11

F

筏形基础	7.1.10
反滤层	8.1.14
反压平台(反压马道)	8.1.42
防波堤	8.1.52
防浪墙	8.1.22
防渗铺盖	8.1.25
放坡开挖	9.3.14
非饱和土	4.2.12

非饱和土力学	2.0.5
非挤土桩	7.4.7
非开挖法	9.2.20
非预应力锚杆	6.10.4
分层总和法	5.1.11
分散性土	3.2.27
粉土	4.1.30
粉质黏土	4.1.31
风化带	3.2.51
风化岩	3.2.10
风积土	3.2.18
峰值强度	4.2.69
扶壁式挡墙	10.3.11
浮力沉垫	12.2.4
浮托力	5.2.58
辐射井	8.2.13
负摩阻力	7.4.23
附加应力	5.2.18
复合衬垫	11.2.9
复合地基	6.1.8
复合土钉支护	9.3.7
复合桩基	7.4.16

G

盖挖逆筑法	9.2.24
盖挖顺筑法	9.2.23
刚性桩复合地基	6.8.2
港口堆场	8.1.45
高杯口基础	7.2.6

词条	编号
高边坡	10.1.6
高压喷射注浆	6.5.3
高原	3.1.5
隔水帷幕	9.3.5
给水度	3.3.18
工程测量	3.4.3
工程地质测绘	3.4.2
工程地质单元	3.6.2
工程地质剖面图	3.6.5
工程地质学	2.0.6
公路隧道	9.1.11
拱坝	8.1.11
共同沟	9.1.8
共振柱试验	4.2.100
构造结构面	4.3.6
谷坊	8.1.33
固结	4.2.44
固结度	4.2.49
固结灌浆	6.5.7
固结曲线	5.2.34
固结试验	4.2.91
固结系数	4.2.50
固结压力	4.2.52
固体废弃物	11.2.1
观测井	10.4.2
冠梁	9.2.12
管涌	4.2.34
灌浆	6.5.6
灌浆托换	6.7.4

灌入固化物	6.1.5
灌注桩	7.4.9
灌注桩排桩围护墙	9.3.9
过渡层	8.1.15

H

海岸工程	12.2.2
海岸侵蚀	12.1.18
海堤	8.1.53
海底管道	12.2.3
海底滑坡	12.1.19
海底软泥	12.1.14
海积土	3.2.19
海水入侵	12.1.17
海湾	12.1.6
海相沉积物	12.1.12
海相黏土	12.1.13
海洋地质灾害	12.1.16
含水层	3.3.9
含水率	4.2.2
河谷阶地	3.1.8
横通道	9.1.12
红黏土	3.2.26
红外探测	3.4.21
洪积扇	3.1.10
洪积土	3.2.16
厚壁取土器	3.4.10
护岸工程	12.2.6
护坡	8.1.20

滑动带 ……………………………………………	10.2.7
滑动面 ……………………………………………	10.2.6
滑坡编图 …………………………………………	10.2.4
滑坡风险 …………………………………………	10.2.15
滑坡敏感性评价 …………………………………	10.2.5
滑坡预警系统 ……………………………………	10.4.5
滑塌 ………………………………………………	10.1.12
化学灌浆 …………………………………………	6.5.9
环境岩土工程 ……………………………………	2.0.9
黄土 ………………………………………………	3.2.24
灰坝 ………………………………………………	8.1.35
灰土 ………………………………………………	6.5.2
灰土挤密桩复合地基 ……………………………	6.8.6
回弹模量 …………………………………………	4.2.43
回弹指数 …………………………………………	4.2.42
混凝土防渗墙 ……………………………………	8.1.23
活断层 ……………………………………………	3.2.48
活性指数 …………………………………………	4.2.20

J

击实试验 …………………………………………	4.2.88
积液井(池) ………………………………………	11.2.11
基槽检验 …………………………………………	3.7.7
基础 ………………………………………………	7.1.1
基础垫层 …………………………………………	7.1.12
基础梁 ……………………………………………	7.2.7
基础埋置深度 ……………………………………	7.1.13
基床 ………………………………………………	8.1.46
基底附加压力 ……………………………………	5.2.19

105

基底压力（接触压力）	5.2.17
基坑	9.3.1
基坑底隆胀	9.3.17
基坑工程	9.3.2
基岩	3.2.11
基桩	7.4.14
基桩检测	3.7.8
级配	4.1.17
极限承载力	5.2.48
极限平衡	5.1.3
极限平衡法	5.1.12
极限平衡条件	5.1.4
集水明排	9.3.13
集中荷载	5.2.4
挤密砂（碎石）桩	6.3.4
挤密注浆	6.5.4
挤土桩	7.4.6
季节冻土	3.2.34
加筋	6.1.6
加筋土	6.6.4
加筋土挡墙	10.3.17
加州承载比	4.2.73
减压井	8.1.28
减载	10.3.4
剪切模量	5.2.24
剪切试验	4.2.89
剪应变	5.2.20
剪胀性	4.2.66
建筑垃圾	11.2.3

渐进破坏	5.2.67
降水法	8.2.11
角点法	5.1.10
节理	3.2.46
结构面	4.3.3
结构体	4.3.4
截水墙	8.1.24
近海沉积物	12.1.11
近海工程	12.2.1
浸润线	5.2.63
井点降水	8.2.12
井筒	9.2.3
井巷工程	9.2.2
径流区	3.3.12
静力触探试验	3.5.3
静水压力	5.2.55
静止土压力	5.2.69
纠倾托换	6.7.1
局部剪切破坏	5.2.44
局部弯曲	7.3.4
巨粒类土	4.1.22
聚苯乙烯板块	6.9.12
均布荷载	5.2.5
均质土坝	8.1.4

K

K_0 固结	4.2.48
开采沉陷	11.4.7
抗拔桩	7.4.5

抗冻性系数	4.4.11
抗滑洞塞	10.3.18
抗滑力	10.2.8
抗滑桩	10.3.19
抗剪强度	4.2.58
抗拉强度	4.4.18
抗弯试验	4.4.35
抗压强度	4.4.15
颗粒分析试验	4.2.87
坑式托换	6.7.2
坑探	3.4.13
孔隙比	4.2.8
孔隙率	4.2.7
孔隙气压力	5.2.54
孔隙水	4.1.5
孔隙水压力	5.2.53
孔隙水压力监测	3.7.5
孔隙水压力系数	4.2.71
孔隙压力	5.2.52
控制爆破	10.3.5
库仑土压力理论	5.1.8
矿区生态重建	11.4.3
矿山地质环境	11.4.1
矿山地质灾害	11.4.2
矿山塌陷	11.4.4
扩展基础	7.1.4

L

垃圾填埋场	11.2.6
拉力分散型锚杆	6.10.7

朗肯土压力理论	5.1.9
砾类土	4.1.27
粒径	4.1.10
粒径分布曲线	4.1.11
粒组	4.1.21
连拱隧道	9.2.11
连通试验	3.5.19
连续粒径	4.1.14
良好级配土	4.1.18
梁板式筏基	7.3.1
裂隙	3.2.45
裂隙水	3.3.8
临界边坡角	10.2.10
临界高度	10.2.9
临界孔隙比	4.2.9
临界水力梯度	4.2.28
临时边坡	10.1.4
灵敏度	4.2.60
流变学	2.0.11
流动破坏	10.1.11
流土	4.2.33
流网	5.2.60
流线	5.2.61
路床	8.1.47
路堤	8.1.37
路基	8.1.38
路堑	8.1.40
卵石(碎石)	4.1.26

M

码头	12.2.5
毛细管水	4.1.8
锚定板墙	10.3.15
锚杆	6.10.1
锚杆挡墙	10.3.7
锚杆基本试验	3.7.10
锚杆静压桩托换	6.7.5
锚杆验收试验	3.7.11
锚固块	10.3.6
锚喷支护	10.3.8
锚索	6.10.2
锚索桩	10.3.23
冒顶	9.2.15
弥散试验	3.5.20
弥散系数	3.3.24
密度	4.2.3
面板堆石坝	8.1.7
明挖法	9.2.21
摩擦端承桩	7.4.4
摩擦桩	7.4.1
摩尔-库仑破坏准则	5.1.7

N

内摩擦角	4.2.63
耐崩解性指数	4.4.10
泥石流	11.3.13
逆作法	9.3.12

黏聚力	4.2.62
黏土	4.1.32
黏滞系数	3.3.23
碾压	6.3.1
碾压试验	8.2.8
碾压土坝	8.1.8
扭剪试验	4.2.97

P

排水法	8.2.10
排水固结	6.1.4
排水棱体	8.1.21
排水砂井	6.4.1
排水体	8.1.18
旁压试验	3.5.7
抛石挤淤	6.2.4
喷锚支护	9.3.6
喷射混凝土	10.3.24
盆地	3.1.7
盆式开挖	9.3.15
膨胀力	4.2.74
膨胀率	4.2.75
膨胀土	3.2.29
膨胀岩	3.2.28
劈裂灌浆	6.5.10
劈裂试验	4.4.33
疲劳强度	4.4.21
偏心荷载	5.2.3
偏压	9.2.17

漂石(块石)	4.1.25
平板式筏基	7.3.2
平原	3.1.3
坡积裙	3.1.11
坡积土	3.2.15
坡率法	10.3.3
破碎带	3.2.49
铺网	6.6.3

Q

砌体挡墙	10.3.12
潜水	3.3.4
潜在滑动面	10.1.7
浅海区	12.1.5
浅基础	7.1.6
浅埋暗挖法	9.2.27
欠固结土	4.2.57
强度线	4.2.61
强夯	6.3.2
强夯置换	6.2.2
墙下钢筋混凝土条形基础	7.2.2
轻质填土	6.2.6
倾倒破坏	10.1.9
丘陵	3.1.6
曲率系数	4.1.16
屈服	5.2.37
屈服面	5.2.38
渠道	8.1.37
取土器	3.4.8

群桩基础	7.4.13
群桩效应	7.4.26
群桩效应系数	7.4.27

R

扰动土样	3.4.12
人防地下室	9.1.5
人工边坡	10.1.3
人工岛	8.1.54
容水度	3.3.21
容许沉降	5.2.31
容许承载力	5.2.46
融陷性	4.2.82
柔性基础	7.1.2
柔性桩复合地基	6.8.1
褥垫	6.2.3
软化系数	4.4.20
软弱夹层	4.3.13
软弱结构面	4.3.12

S

三相图	4.2.6
三轴抗压强度	4.4.17
三轴伸长试验	4.2.94
三轴压缩试验	4.2.93
散体材料桩复合地基	6.8.3
散体力学	2.0.12
砂垫层	6.4.7
砂类土	4.1.28

砂石桩复合地基	6.8.8
砂土	4.1.29
山地	3.1.4
珊瑚砂	12.1.15
上层滞水	3.3.3
上游式筑坝法	8.2.16
深层搅拌	6.5.5
深海区	12.1.3
深基础	7.1.5
深井法	8.2.14
渗沥液	11.2.5
渗流	4.2.29
渗流力	4.2.30
渗水试验	3.5.18
渗透变形	4.2.31
渗透破坏	4.2.32
渗透试验	4.2.90
渗透稳定性	5.2.64
渗透系数	3.3.15
生活垃圾	11.2.2
生态恢复	11.1.8
声波探测	3.4.20
剩余推力法	10.2.14
施工导流	8.2.5
湿陷变形	4.2.84
湿陷起始压力	4.2.86
湿陷系数	4.2.85
湿陷性	4.2.83
湿陷性土	3.2.25

十字板剪切试验	3.5.6
十字交叉条形基础	7.2.4
石灰桩复合地基	6.8.7
疏浚	8.2.19
树根桩	10.3.22
竖井	9.2.5
水力梯度	4.2.27
水泥(稳定)土	6.5.1
水泥粉煤灰碎石桩复合地基	6.8.10
水泥土重力式围护墙	9.3.8
水泥土桩复合地基	6.8.9
水平渗透系数	6.9.17
水上抛填	8.2.24
水头	3.3.14
水文地质勘查	3.4.4
水文地质学	2.0.7
水下基床夯实	8.2.25
水坠坝	8.1.9
顺坝	8.1.30
瞬时荷载	5.2.9
松弛时间	4.4.23
素填土	3.2.36
塑料排水带	6.4.3
塑流	5.2.36
塑限	4.2.15
塑性破坏	4.2.67
塑性区	5.2.42
塑性图	4.2.21
塑性应变	5.2.23

塑性指数 …………………………………… 4.2.17
隧道 ………………………………………… 9.1.9
隧道掘进机法 ……………………………… 9.2.26
缩限 ………………………………………… 4.2.16
缩性指数 …………………………………… 4.2.19

T

塌陷 ………………………………………… 11.3.4
塌陷坑 ……………………………………… 11.3.8
太沙基固结理论 …………………………… 5.1.1
探地雷达法 ………………………………… 3.4.18
掏土纠倾 …………………………………… 6.7.8
特殊性土 …………………………………… 3.2.21
体积力 ……………………………………… 5.2.11
体积模量 …………………………………… 5.2.25
体积压缩系数 ……………………………… 4.2.37
体缩率 ……………………………………… 4.2.78
体应变 ……………………………………… 5.2.21
天然休止角 ………………………………… 4.2.64
填方 ………………………………………… 8.1.44
填埋库区 …………………………………… 11.2.7
填土 ………………………………………… 3.2.35
条分法 ……………………………………… 10.2.13
条形荷载 …………………………………… 5.2.6
条形基础 …………………………………… 7.1.9
铁路隧道 …………………………………… 9.1.10
透水率 ……………………………………… 3.3.19
土 …………………………………………… 3.2.12
土坝 ………………………………………… 8.1.3

土的变形模量	4.2.40
土的泊松比	4.2.41
土的结构	4.1.2
土的压缩模量	4.2.39
土的液化	5.2.65
土的组构	4.1.1
土地复垦	11.1.7
土钉	6.6.1
土钉抗拔检测	3.7.12
土动力学	2.0.4
土洞	11.3.5
土工复合材料	6.9.9
土工格室	6.9.7
土工格栅	6.9.6
土工合成材料	6.9.1
土工合成材料加筋	6.6.2
土工合成材料加筋桩网基础	6.9.11
土工合成材料膨润土垫	6.9.13
土工离心模型试验	4.2.101
土工模袋	6.9.8
土工膜	6.9.5
土工网垫	6.9.10
土工织物	6.9.2
土骨架	4.1.3
土力学	2.0.2
土粒比重	4.2.5
土塞效应	7.4.29
土石坝	8.1.2
土石方工程	8.1.1

土石料夯实	8.2.4
土石料开采	8.2.1
土石料填筑	8.2.2
土石料压实	8.2.3
土试样	4.2.1
土体	3.2.13
土体渗透性	4.2.26
土压力监测	3.7.6
托换	6.1.7

W

挖方	8.1.43
挖沟法	8.2.7
完整岩石	3.2.9
危险性废物	11.2.4
危岩体	11.3.12
围护墙	9.3.3
围垦工程	8.1.50
围岩	9.2.14
围岩压力	9.2.19
围岩应力	9.2.18
围堰	8.1.27
帷幕	8.1.26
帷幕灌浆	6.5.8
尾矿	11.4.8
尾矿坝	8.1.34
尾矿库	11.4.9
稳定分析	10.2.11
稳定渗流	5.2.59

稳定数	10.2.12
污泥	11.1.1
污泥处理	11.1.2
污泥固化	11.1.3
污染土	11.1.4
污染土处理	11.1.6
污染土修复	11.1.5
无侧限抗压强度	4.2.59
无纺土工织物	6.9.4
无筋扩展基础	7.1.3

X

吸力式桶形基础	12.2.8
吸着水	4.1.9
细粒类土	4.1.24
狭缝法试验	3.5.12
下拉荷载	7.4.25
下卧层	7.1.15
下游式筑坝法	8.2.18
先期固结压力	4.2.53
纤维土	6.6.5
现场监测	3.7.1
现场检测	3.7.3
线荷载	5.2.7
线缩率	4.2.77
限制粒径	4.1.12
相对密度	4.2.22
箱形基础	7.1.11
向斜	3.2.43

巷道	9.2.4
楔形破坏	10.1.13
斜井	9.2.6
心墙	8.1.12
心墙堆石坝	8.1.6
新奥法	9.2.31
新鲜岩石	3.2.8
型钢水泥土搅拌墙	9.3.10
悬臂式挡墙	10.3.14

Y

压剪试验	4.4.32
压力分散型锚杆	6.10.8
压实度	4.2.25
压实黏土衬垫	11.2.10
压水试验	3.5.15
压缩系数	4.2.36
压缩性	4.2.35
压缩指数	4.2.38
延续性	4.3.8
岩爆	9.2.16
岩崩	11.3.11
岩浆岩	3.2.5
岩块	4.3.2
岩溶	3.1.12
岩溶水	3.3.7
岩溶塌陷	11.3.6
岩溶陷落柱	11.3.7
岩石	3.2.3

岩石变形模量	4.4.12
岩石泊松比	4.4.14
岩石侧向约束膨胀率	4.4.9
岩石弹性模量	4.4.13
岩石分类	4.4.26
岩石含水率	4.4.5
岩石坚硬程度	4.4.27
岩石抗剪强度	4.4.19
岩石颗粒密度	4.4.3
岩石块体密度	4.4.4
岩石扩容	4.4.24
岩石力学	2.0.3
岩石力学性质	4.4.2
岩石耐崩解性试验	4.4.36
岩石膨胀压力	4.4.7
岩石声发射	4.4.25
岩石物理性质	4.4.1
岩石吸水率	4.4.6
岩石质量指标	4.4.28
岩石自由膨胀率	4.4.8
岩体	3.2.4
岩体基本质量	4.4.29
岩体基本质量分级	4.4.30
岩体结构	4.3.1
岩体结构面直剪试验	4.4.37
岩体声波速度测试	3.5.14
岩体原位应力测试	3.5.10
岩土工程	2.0.1
岩土工程分级	3.6.7

岩土工程勘察	3.4.1
岩土工程勘察报告	3.6.1
岩土工程评价	3.6.8
岩土锚固	6.1.9
岩芯采取率	3.4.6
岩芯获得率	3.4.7
盐渍土	3.2.30
堰塞坝	11.3.15
堰塞湖	11.3.14
扬压力	5.2.57
仰拱	9.2.10
腰梁	9.2.13
遥感勘测	3.4.22
液化势	5.2.66
液限	4.2.14
液性指数	4.2.18
应变空间	5.2.40
应力分布	5.2.14
应力集中	5.2.15
应力空间	5.2.39
应力历史	5.2.41
应力路径	4.2.72
应力松弛	4.4.22
影响半径	3.3.22
永久边坡	10.1.5
永久支护	10.3.2
有纺土工织物	6.9.3
有机质土	3.2.31
有效粒径	4.1.13

有效应力	5.2.51
有效应力法	5.1.14
有效应力原理	5.1.5
淤地坝	8.1.32
淤泥	3.2.22
淤泥质土	3.2.23
预拉力锚杆	6.10.5
预压力锚杆	6.10.6
预应力锚杆	6.10.3
预制桩	7.4.10
原生结构面	4.3.5
原位试验	3.5.1
原位直接剪切试验	3.5.9
原型监测	3.7.2
圆弧滑动	10.1.14
圆锥动力触探试验	3.5.4

Z

杂填土	3.2.37
灾害地质学	2.0.10
载荷试验	3.5.2
张开度	4.3.10
褶曲	3.2.41
褶皱	3.2.40
真空预压	6.4.5
真三轴试验	4.2.95
振冲	6.3.3
振动压实	6.3.6
振密	6.1.3

震陷	11.3.9
整体剪切破坏	5.2.43
整体弯曲	7.3.3
正常固结土	4.2.55
支撑	9.3.4
支墩式挡墙	10.3.13
直剪试验	4.2.92
置换	6.1.2
中线式筑坝法	8.2.17
中心荷载	5.2.2
重度	4.2.4
重力坝	8.1.10
重力式挡墙	10.3.10
重力水	4.1.7
周期荷载	5.2.8
主动土压力	5.2.68
主动桩	10.3.20
主堆石区	8.1.16
主固结	4.2.46
主固结沉降	5.2.28
注水试验	3.5.17
柱下钢筋混凝土独立基础	7.2.1
柱下条形基础	7.2.3
桩侧阻力	7.4.21
桩承台	7.4.15
桩的水平变形系数	7.4.28
桩的中性点	7.4.24
桩底沉渣检测	3.7.9
桩端阻力	7.4.22

桩基础	7.1.7
桩基等效沉降系数	7.4.30
桩基托换	6.7.3
锥形基础	7.2.5
子坝	8.1.36
自然边坡	10.1.2
自由膨胀率	4.2.76
自由水	4.1.6
自重应力	5.2.16
综合工程地质图	3.6.3
综合柱状图	3.6.4
总应力	5.2.50
总应力法	5.1.13
组合桩	7.4.11
钻爆法	9.2.25
钻孔变形试验	3.5.11
钻探	3.4.5
最大干密度	4.2.23
最优含水率	4.2.24
最终沉降	5.2.26

附录 B 英文索引

A

absorbed water ·· 4.1.9
abyssal region ·· 12.1.3
acoustic emission of rock ································ 4.4.25
acoustic exploration ·· 3.4.20
acoustic speed testing of rock mass ··············· 3.5.14
active earth pressure ······································· 5.2.68
active fault ·· 3.2.48
active pile ··· 10.3.20
activity index ·· 4.2.20
additional stress (superimposed stress) ········· 5.2.18
additional stress on the base ·························· 5.2.19
advancing drift ·· 9.2.32
adverse geological process ····························· 11.3.1
aeolian deposit ·· 3.2.18
allowable bearing capacity ······························ 5.2.46
allowable settlement ······································· 5.2.31
alluvial fan ·· 3.1.9
alluvial soil ··· 3.2.17
anchor acceptance test ···································· 3.7.11
anchor block ··· 10.3.6
anchor cable ·· 6.10.2
anchor pile ·· 10.3.23
anchor slab wall ·· 10.3.15

anchor-plate retaining 10.3.8
anticline 3.2.42
aperture 4.3.10
aquifer 3.3.9
arch dam 8.1.11
artificial island 8.1.54
ash dam 8.1.35
attitude (occurrence) 3.2.50

B

back pressure berm 8.1.42
base course 8.1.49
basement 9.1.4
basic quality of rock mass 4.4.29
basic tests of anchor 3.7.10
basin 3.1.7
bathyal region 12.1.4
beam-slab raft foundation 7.3.1
bearing capacity factors 5.2.47
bearing stratum 7.1.14
bedrock 3.2.11
bending test 4.4.35
berme excavation 9.3.15
Biot's consolidation theory 5.1.2
blasting 8.2.6
blasting compaction 6.3.5
blasting replacement 6.2.5
block 4.3.2
block density of rock 4.4.4

body force (volume force) 5.2.11
bolting (anchor) 6.10.1
borehole deformation test 3.5.11
boulder (stone block) 4.1.25
box foundation 7.1.11
breakwater 8.1.52
brittle failure 4.2.68
bulk modulus 5.2.25
buoyancy 5.2.58
buoyant mat 12.2.4
buttress retaining wall 10.3.13

C

California Bearing Ratio (CBR) 4.2.73
cantilever retaining wall 10.3.14
capillary water 4.1.8
cast-in-place pile 7.4.9
cement-soil gravity wall 9.3.8
cement-stabilized soil 6.5.1
centerline embankment method 8.2.17
central load 5.2.2
channel (canal) 8.1.37
characteristic value of subsoil bearing capacity 5.2.49
check dam 8.1.33
check dam for building farmland 8.1.32
chemical grouting 6.5.9
circular sliding 10.1.14
civil air protection basement 9.1.5
classification of basic quality of rock mass 4.4.30

Term	Reference
classification of geotechnical projects	3.6.7
clay	4.1.32
closure of mining	11.4.6
coarse-grained soil	4.1.23
coast erosion	12.1.18
coastal engineering	12.2.2
cobble	4.1.26
coefficient of collapsibility	4.2.85
coefficient of compressibility	4.2.36
coefficient of consolidation	4.2.50
coefficient of curvature(Cc)	4.1.16
coefficient of frost resistance (antifreezing coefficient)	4.4.11
coefficient of planar permeability	6.9.18
coefficient of secondary consolidation	4.2.51
coefficient of uniformity(Cu)	4.1.15
coefficient of vertical permeability	6.9.17
coefficient of viscosity	3.3.23
coefficient of volume compressibility	4.2.37
cofferdam	8.1.27
cohesion	4.2.62
collapse	11.3.4
collapse deformation	4.2.84
collapse pit	11.3.8
collapsibility	4.2.83
collapsible soil	3.2.25
compacted clay liner (CCL)	11.2.10
compaction	6.3.1
compaction grouting	6.5.4
compaction of earth-rock material	8.2.3

compaction of underwater bedding	8.2.25
compaction test	4.2.88
compartment (waste filling area)	11.2.7
composite columnar section	3.6.4
composite foundation of cast-in-place concrete large-diameter pipe piles	6.8.5
composite foundation of cement soil piles	6.8.9
composite foundation of cement-fly ash-gravel piles	6.8.10
composite foundation of compacted soil-lime piles	6.8.6
composite foundation of flexible piles	6.8.1
composite foundation of granular material piles	6.8.3
composite foundation of lime piles	6.8.7
composite foundation of long-short piles	6.8.4
composite foundation of multiple reinforcement of different material or length	6.8.11
composite foundation of rigid piles	6.8.2
composite foundation of sand-gravel piles	6.8.8
composite ground (composite foundation)	6.1.8
composite liners	11.2.9
composite pile	7.4.11
composite piled foundation	7.4.16
compound soil nailing wall	9.3.7
comprehensive engineering geological map	3.6.3
compressibility	4.2.35
compression index	4.2.38
compressive shear test	4.4.32
compressive strength	4.4.15
concentrated load	5.2.4
concrete diaphragm wall	8.1.23

concrete face rockfill dam	8.1.7
cone foundation	7.2.5
cone penetration test (CPT)	3.5.3
confined water	3.3.5
connecting test	3.5.19
consecutive grain size	4.1.14
consistency limit	4.2.13
consolidation	4.2.44
consolidation curve	5.2.34
consolidation grouting	6.5.7
consolidation pressure	4.2.52
consolidation test	4.2.91
constrained grain size	4.1.12
constrained modulus of soil	4.2.39
construction diversion	8.2.5
construction waste	11.2.3
constructive structure plane	4.3.6
contact pressure	5.2.17
contaminated soil treatment	11.1.6
contaminated soils	11.1.4
contaminated soils remediation	11.1.5
contiguous bored pile wall	9.3.9
continental shelf	12.1.1
continental slope	12.1.2
continuity	4.3.8
contour map of groundwater	3.6.6
control blasting	10.3.5
control of groundwater	8.2.9
coral sand	12.1.15

core obtained rate	3.4.7
core recovery	3.4.6
core rockfill dam	8.1.6
core wall	8.1.12
corner-point method	5.1.10
Coulomb's earth pressure theory	5.1.8
counterfort retaining wall	10.3.11
cover and cut-bottom up	9.2.23
cover and cut-top down	9.2.24
critical hydraulic gradient	4.2.28
critical slope angle	10.2.10
critical slope height	10.2.9
critical void ratio	4.2.9
crossed strip foundation	7.2.4
curtain	8.1.26
curtain grouting	6.5.8
cushion	6.2.1
cushion zone	8.1.19
cut-and-cover method	9.2.21
cut-off wall	8.1.24
cutting	8.1.40
cyclic load	5.2.8

D

dam shell	8.1.13
damming lake	11.3.14
dangerous waste	11.2.4
Darcy's law	5.1.6
debris flow	11.3.13

deep foundation	7.1.5
deep mixing	6.5.5
deep well method	8.2.14
deformation modulus of rock	4.4.12
degree of compaction	4.2.25
degree of consolidation	4.2.49
degree of saturation	4.2.10
densification by sand pile	6.3.4
density	4.2.3
depth of foundation	7.1.13
dewatering method	8.2.11
dike (levee)	8.1.31
dike consolidated by hydraulic fill	8.2.22
dike constructed by hydraulic fill	8.2.21
dilatancy	4.2.66
dilatancy of rock	4.4.24
diluvial fan	3.1.10
diluvial soil	3.2.16
direct shear test	4.2.92
direct shear test of structural plane	4.4.37
disaster geology	2.0.10
disintegration-resistance index	4.4.10
disintegration-resistance test of rock	4.4.36
dispersion coefficient	3.3.24
dispersion test	3.5.20
dispersive soil	3.2.27
displacement pile	7.4.6
disturbed soil sample	3.4.12
diversion tunnel	8.2.15

domestic refuse (domestic garbage) ·················· 11.2.2
downstream embankment method ················· 8.2.18
downstream rockfill zone ·································· 8.1.17
drainage by gully ·· 9.3.13
drainage consolidation ·· 6.1.4
drainage method ··· 8.2.10
drainage zone ··· 8.1.18
dredging ·· 8.2.19
dredging reclamation engineering ······················ 8.1.51
drilling ·· 3.4.5
drilling-blasting method ······································ 9.2.25
drop-down load ···7.4.25
dumping and filling on water ·······························8.2.24
dynamic consolidation (dynamic compaction) ············· 6.3.2
dynamic load ·· 5.2.10
dynamic penetration test (DPT) ······························· 3.5.4
dynamic replacement ··· 6.2.2
dynamic simple shear test ·································· 4.2.99
dynamic triaxial test ·· 4.2.98

E

earth and rock excavation ·· 8.2.1
earth and rock filling ·· 8.2.2
earth dam ··· 8.1.3
earth pressure at rest (static earth pressure) ············ 5.2.69
earth pressure monitoring ···3.7.6
earthquake subsidence ···11.3.9
earth-rock dam ··· 8.1.2
earthwork ···8.1.1

eccentric load	5.2.3
ecological restoration	11.1.8
ecological restoration of mine area	11.4.3
effect of pile group	7.4.26
effective grain size	4.1.13
effective stress	5.2.51
effective stress analysis	5.1.14
effective stress principle	5.1.5
elastic modulus of rock	4.4.13
elastic strain	5.2.22
electrical exploration	3.4.15
electromagnetic geophysical exploration	3.4.17
electro-osmosis stabilization	6.4.6
embankment	8.1.39
embayment	12.1.6
end-bearing pile (point-bearing pile)	7.4.2
end-support friction pile	7.4.3
engineering geological mapping	3.4.2
engineering geological profile	3.6.5
engineering geological unit	3.6.2
engineering geology	2.0.6
engineering survey	3.4.3
equative angle of internal friction	10.2.2
equipotential line	5.2.62
equivalent opening size (EOS)	6.9.14
equivalent sedimentation coefficient of pile foundaiton	7.4.30
excavation (cut)	8.1.43
excess pore water pressure	5.2.56
expanded polystyrene sheet (EPS)	6.9.12

expansive rock 3.2.28
expansive soil 3.2.29

F

fabric sheet reinforced earth 6.6.3
fall 10.1.8
fatigue strength 4.4.21
fault 3.2.47
fibrous soil 6.6.5
fill 3.2.35
              8.1.44
filling substance 4.3.11
filter 8.1.14
final settlement 5.2.26
fine-grained soil 4.1.24
fissure 3.2.45
fissure water 3.3.8
flat bed raft foundation 7.3.2
flat dilatometer test (DMT) 3.5.8
flexible foundation 7.1.2
flow damage 10.1.11
flow line 5.2.61
flow net 5.2.60
fluvial terrace 3.1.8
fold 3.2.41
folds 3.2.40
forecasting of slope stability 10.4.3
foundation 7.1.1
foundation beam 7.2.7

foundation bed	8.1.46
foundation cushion	7.1.12
foundation pit	9.3.1
foundation pit engineering	9.3.2
foundation trench inspection	3.7.7
fraction	4.1.21
fracture zone	3.2.49
free swelling ratio	4.2.76
free swelling ratio of rock	4.4.8
free water	4.1.6
freezing method	9.2.30
fresh rock	3.2.8
friction and end bearing pile	7.4.4
friction pile	7.4.1
frost heave	4.2.79
frost-heave capacity	4.2.81
frost-heaving pressure	4.2.80
frozen soil	3.2.32

G

gap-graded soil	4.1.20
general shear failure	5.2.43
geocell	6.9.7
geocomposite	6.9.9
geoenvironmental engineering	2.0.9
geofabriform	6.9.8
geogrid	6.9.6
geologic environment	3.2.1
geologic environmental element	3.2.2

geological hazards	11.3.2
geological structure	3.2.39
geomenbrane	6.9.5
geomorphology	3.1.1
geophysical exploration	3.4.14
geostatic stress (self-weight stress, gravity stress)	5.2.16
geosynthetic clay liner (GCL)	6.9.13
geosynthetic fiber mattress	6.9.10
geosynthetic reinforced pile foundation	6.9.11
geosynthetics	6.9.1
geotechnical centrifugal model test	4.2.101
geotechnical engineering	2.0.1
geotechnical evaluation	3.6.8
geotechnical investigation	3.4.1
geotechnical investigation report	3.6.1
geotextile	6.9.2
goaf (mined-out area)	11.4.5
gradation	4.1.17
grain size	4.1.10
grain size distribution curve	4.1.11
gravel soil	4.1.27
gravitational water	4.1.7
gravity dam	8.1.10
gravity retaining wall	10.3.10
groin (spur dike)	8.1.29
ground anchors (anchorage)	6.1.9
ground fissure	11.3.10
ground penetrating radar method (GPR)	3.4.18
ground reaction force	7.2.8

ground settlement (land subsidence)	11.3.3
ground treatment (ground improvement)	6.1.1
groundwater	3.3.2
groundwater corrosivity	3.3.27
groundwater dynamics	2.0.8
groundwater hardness	3.3.26
groundwater monitoring	3.7.4
group piles supported foundation	7.4.13
grouting	6.5.6
grouting curing material	6.1.5
grouting underpinning	6.7.4
guide adit	9.2.7

H

hardness degree of rock	4.4.27
heaving of foundation pit bottom	9.3.17
high cuppy foundation	7.2.6
high slope	10.1.6
hill	3.1.6
homogeneous earth dam	8.1.4
horizontal adit	9.1.12
horizontal deformation coefficient of pile	7.4.28
hydraulic conductivity (coefficient of permeability)	3.3.15
hydraulic fill	8.2.20
hydraulic fill (dredger fill)	3.2.38
hydraulic gradient	4.2.27
hydrofracture grouting	6.5.10
hydrogeological investigation	3.4.4
hydrogeology	2.0.7

hydrostatic pressure ……………………………………… 5.2.55

I

immediate settlement ……………………………………… 5.2.27
immersed tube method …………………………………… 9.2.29
impervious blanket ………………………………………… 8.1.25
impervious layer …………………………………………… 3.3.10
inclined shaft ……………………………………………… 9.2.6
infiltration test, pit permeability test ……………………… 3.5.18
infra-red detection ………………………………………… 3.4.21
initial collapse pressure …………………………………… 4.2.86
inspection of diaphragm wall …………………………… 3.7.13
in-situ inspection ………………………………………… 3.7.3
in-situ monitoring ………………………………………… 3.7.1
in-situ rock stress test …………………………………… 3.5.10
in-situ shear test ………………………………………… 3.5.9
in-situ test ………………………………………………… 3.5.1
intact rock ………………………………………………… 3.2.9
interlayer water …………………………………………… 3.3.6
internal friction angle …………………………………… 4.2.63
inverted arch ……………………………………………… 9.2.10
island excavation ………………………………………… 9.3.16

J

jack-up leaning rectification …………………………… 6.7.6
jet grouting ……………………………………………… 6.5.3
joint ……………………………………………………… 3.2.46

K

K_0-consolidation	4.2.48
karst	3.1.12
karst collapse	11.3.6
karst collapse breccia column	11.3.7

L

land reclamation	11.1.7
landfill site	11.2.6
landform unit	3.1.2
landslide dam	11.3.15
landslide hazard (landslide risk)	10.2.15
landslide inventory (landslide mapping)	10.2.4
landslide susceptibility assessment	10.2.5
landslide warning system	10.4.5
landslip zone of slope	10.2.1
lateral spread	10.1.10
layerwise summation method	5.1.11
leachate	11.2.5
leachate collection well	11.2.11
leaning rectification by digging-out soil	6.7.8
leaning rectification with surcharge	6.7.7
light weight filling	6.2.6
lime-treated soil	6.5.2
limit equilibrium	5.1.3
limit equilibrium condition	5.1.4
limit equilibrium method	5.1.12
line load	5.2.7

linear shrinkage ratio	4.2.77
liner system	11.2.8
liquefaction potential	5.2.66
liquid limit	4.2.14
liquidity index	4.2.18
loading test	3.5.2
local bending	7.3.4
local shear failure	5.2.44
loess	3.2.24
longitudinal dike	8.1.30

M

magmatic rock (igneous rock)	3.2.5
magnetic exploration	3.4.16
main rockfill zone	8.1.16
man made slope (cut slope, excavated slope)	10.1.3
marine clay	12.1.13
marine sediment	12.1.12
marine soil	3.2.19
masonry retaining wall	10.3.12
maximum dry density	4.2.23
mechanical properties of rock	4.4.2
mechanics of granular media	2.0.12
metamorphic rock	3.2.7
method of slice	10.2.13
middle beam	9.2.13
mine collapse	11.4.4
mine geo-enviroment	11.4.1
mine geo-hazards	11.4.2

mining subsidence	11.4.7
miscellaneous fill (rubbish fill)	3.2.37
Mohr-Coulomb failure criterion	5.1.7
moraine soil (drifted soil)	3.2.20
mountain	3.1.4
muck	3.2.22
mucky soil	3.2.23
multi-arch tunnel	9.2.11

N

natural angle of repose	4.2.64
natural slope	10.1.2
negative skin friction (negative shaft resistance)	7.4.23
neritic region	12.1.5
neutral point of pile	7.4.24
new Austrian tunnelling method	9.2.31
non-displacement pile	7.4.7
non-prestressed anchor	6.10.4
non-uniform settlement	5.2.30
nonwoven geotextile	6.9.4
normally-consolidated soil	4.2.55

O

observation of slope stability	10.4.1
observation well	10.4.2
offshore engineering	12.2.1
offshore geohazards	12.1.16
offshore sediment	12.1.11
one-dimensional consolidation	4.2.45

optimum moisture content	4.2.24
organic soil	3.2.31
overall bending	7.3.3
over-consolidated soil	4.2.56
over-consolidation ratio(OCR)	4.2.54
oversized coarse-grained soil	4.1.22

P

packed sand drain (fabric-enclosed sand drain)	6.4.2
pad foundation (isolated foundation)	7.1.8
parapet wall	8.1.22
partial displacement pile	7.4.8
particle density of rock	4.4.3
particle size analysis	4.2.87
passive earth pressure	5.2.70
passive pile	10.3.21
peak strength	4.2.69
perched water	3.3.3
perennially frozen soil	3.2.33
permanent slope	10.1.5
permanent support	10.3.2
permeability	6.9.15
permeability of soil	4.2.26
permeability rate	3.3.19
permeability test	4.2.90
phreatic line	5.2.63
phreatic water	3.3.4
physical properties of rock	4.4.1
pile capacity	7.4.17

pile caps	7.4.15
pile foundation	7.1.7
pile group effect coefficient	7.4.27
pile side resistance	7.4.21
pile tip resistance	7.4.22
piles underpinning	6.7.3
pillow	6.2.3
piping	4.2.34
pit exploration	3.4.13
pit underpinning	6.7.2
plain	3.1.3
plain fill	3.2.36
plastic failure	4.2.67
plastic flow	5.2.36
plastic limit	4.2.15
plastic strain	5.2.23
plastic zone	5.2.42
plasticity chart	4.2.21
plasticity index	4.2.17
plateau	3.1.5
plug effect	7.4.29
poisson's ratio of soil	4.2.41
poisson's ratio of rock	4.4.14
poorly-graded soil	4.1.19
pore air pressure	5.2.54
pore pressure	5.2.52
pore pressure parameter	4.2.71
pore water	4.1.5
pore water pressure	5.2.53

pore water pressure monitoring	3.7.5
porosity	4.2.7
port storage yard	8.1.45
portal	9.2.8
potential slip surface	10.1.7
precast pile	7.4.10
pre-consolidation pressure	4.2.53
prefabricated vertical drain (PVD)	6.4.3
preloading with surcharge of fill	6.4.4
pressed pile underpinning	6.7.5
pressured anchor	6.10.6
pressured multiple-head anchor	6.10.8
pressuremeter test (PMT)	3.5.7
prestressed anchor	6.10.3
primary consolidation	4.2.46
primary consolidation settlement	5.2.28
primary structure plane	4.3.5
prism drain	8.1.21
prognosis of slope stability	10.4.4
progressive failure	5.2.67
prototype monitoring	3.7.2
pull-out test of soil nail	3.7.12
pump-in test	3.5.15
pumping test	3.5.16
punching shear failure	5.2.45

R

radial well	8.2.13
radius of influence	3.3.22

raft foundation	7.1.10
railway tunnel	9.1.10
Rankine's earth pressure theory	5.1.9
rate of settlement	5.2.32
rebound modulus	4.2.43
rebound of foundation	5.2.35
recharge area	3.3.11
reclamation	8.1.50
reclamation dike	8.2.23
rectification underpinning	6.7.1
red clay	3.2.26
reinforced concrete pad foundation under columns	7.2.1
reinforced concrete strip foundation under walls	7.2.2
reinforced earth	6.6.4
reinforced soil wall	10.3.17
reinforcement	6.1.6
reinforcement by geosynthetics	6.6.2
relative density	4.2.22
relaxation time	4.4.23
relief well	8.1.28
remote sensing prospect	3.4.22
replacement	6.1.2
residual soil	3.2.14
residual strength	4.2.70
residual thrust method	10.2.14
resistance force	10.2.8
resonant column test	4.2.100
retaining wall	9.3.3
retaining wall	10.3.9

retaining wall with anchors	10.3.7
revetment works (bank protection works)	12.2.6
rheology	2.0.11
road bed	8.1.47
road pavement	8.1.48
road tunnel	9.1.11
roadway (road, drift)	9.2.4
rock	3.2.3
rock burst	9.2.16
rock classification	4.4.26
rock fall	11.3.11
rock filling replacement	6.2.4
rock mass	3.2.4
rock mechanics	2.0.3
rock quality designation (RQD)	4.4.28
rockfill dam	8.1.5
rolled fill earth dam	8.1.8
rolling compaction test	8.2.8
roof fall	9.2.15
root pile	10.3.22
roughness	4.3.9
run-off area	3.3.12
rupture (fracture, fault)	3.2.44

S

saline soil	3.2.30
sand	4.1.29
sand cushion	6.4.7
sand drain	6.4.1

sandy soil	4.1.28
saturated soil	4.2.11
seabed ooze	12.1.14
seabed pipeline	12.2.3
seasonally frozen soil	3.2.34
seawall	8.1.53
seawater intrusion	12.1.17
secondary consolidation	4.2.47
secondary consolidation settlement	5.2.29
secondary structure plane	4.3.7
sedimentary rock	3.2.6
seepage	4.2.29
seepage deformation	4.2.31
seepage failure	4.2.32
seepage force	4.2.30
seepage stability	5.2.64
seismic exploration	3.4.19
semi-infinite elastic body	5.2.1
sensitivity	4.2.60
settlement curve	5.2.33
shaft (inclined shaft)	9.2.3
shallow foundation	7.1.6
shallow underground excavation method	9.2.27
shear modulus	5.2.24
shear plug	10.3.18
shear strain	5.2.20
shear strength	4.2.58
shear test	4.2.89
shearing strength of rock	4.4.19

sheet pile wall	9.3.11
sheet pile wall	10.3.16
shield method	9.2.28
shotcrete	10.3.24
shotcrete-bolt support	9.3.6
shrinkage index	4.2.19
shrinkage limit	4.2.16
side ditch	8.1.41
silt	4.1.30
silty clay	4.1.31
simple shear test	4.2.96
single pile in pile foundaiton	7.4.14
single pile supported foundation	7.4.12
sinking and drifting engineering	9.2.2
slide resistant pile	10.3.19
sliding surface (sliding plane, slip surface)	10.2.6
sliding zone	10.2.7
slit method test	3.5.12
slope	10.1.1
slope geologic model	10.2.3
slope protection	8.1.20
slope ratio method	10.3.3
slope retaining	10.3.1
slope wash (talus)	3.2.15
sloped open cut method	9.3.14
sludge	11.1.1
sludge measurement for bored pile	3.7.9
sludge solidification	11.1.3
sludge treatment	11.1.2

sluicing-siltation dam	8.1.9
slump	10.1.12
softening coefficient	4.4.20
soil	3.2.12
soil cave	11.3.5
soil dynamics	2.0.4
soil fabric	4.1.1
soil flow	4.2.33
soil liquefaction	5.2.65
soil mass	3.2.13
soil mechanics	2.0.2
soil nailing	6.6.1
soil sampler	3.4.8
soil skeleton	4.1.3
soil specimen	4.2.1
soil steel mixing wall	9.3.10
soil structure	4.1.2
solid waste	11.2.1
special soil	3.2.20
specific gravity of soil particle	4.2.5
specific surface area	4.1.4
specific yield	3.3.18
split test	4.4.33
spread foundation	7.1.4
stability analysis	10.2.11
stability number	10.2.12
standard penetration test (SPT)	3.5.5
steady seepage	5.2.59
storage coefficient	3.3.16

strain space	5.2.40
strength curve	4.2.61
strength test under point load	4.4.34
stress concentration	5.2.15
stress distribution	5.2.14
stress history	5.2.41
stress path	4.2.72
stress relaxation	4.4.22
stress space	5.2.39
strip foundation	7.1.9
strip foundation under columns	7.2.3
strip load	5.2.6
structs	9.3.4
structural block	4.3.4
structural plane (discontinuity)	4.3.3
structure of rock mass	4.3.1
subdam	8.1.36
subgrade	8.1.38
submarine slide	12.1.19
subsurface excavation method	9.2.22
subsurface run-off	3.3.13
subtidal zone	12.1.10
suction caisson foundation	12.2.8
supertidal zone	12.1.9
surcharge (overload)	5.2.13
surface force	5.2.12
surface water	3.3.1
surrounding rock	9.2.14
surrounding rock pressure	9.2.19

surrounding rock stress (secondary stress)	9.2.18
swelling force	4.2.74
swelling index	4.2.42
swelling pressure of rock	4.4.7
swelling ratio	4.2.75
swelling ratio of rock under lateral restraint	4.4.9
syncline	3.2.43

T

tailing dam	8.1.34
tailing pond	11.4.9
tailings	11.4.8
talus apron	3.1.11
tamping of earth and rock	8.2.4
temporary slope	10.1.4
tensile strength	4.4.18
tensioned anchor	6.10.5
tensioned multiple-head anchor	6.10.7
Terzaghi's consolidation theory	5.1.1
testing of piles	3.7.8
thaw collapsibility	4.2.82
thick wall sampler	3.4.10
thin wall sampler	3.4.9
thixotropy	4.2.65
three phase diagram	4.2.6
tidal channel	12.1.8
tidal flat	12.1.7
top beam	9.2.12
top-down method	9.3.12

topple	10.1.9
torsional shear test	4.2.97
total mineralization of groundwater	3.3.25
total stress	5.2.50
total stress analysis	5.1.13
training jetty	12.2.7
transient load	5.2.9
transition zone	8.1.15
transmissibility (coefficient of transmissivity)	3.3.17
transmissivity	6.9.16
trench cut method	8.2.7
trenchless method	9.2.20
triaxial compression test	4.2.93
triaxial compressive strength	4.4.17
triaxial extension test	4.2.94
true triaxial test	4.2.95
tunnel	9.1.9
tunnel boring machine method	9.2.26
tunnel lining	9.2.9

U

ultimate bearing capacity	5.2.48
ultimate horizontal bearing capacity of single pile	7.4.19
ultimate uplift bearing capacity of single pile	7.4.20
ultimate vertical bearing capacity of single pile	7.4.18
unconfined compressive strength	4.2.59
unconfined modulus of soil	4.2.40
under-consolidated soil	4.2.57
underground complex	9.1.3

underground engineering	9.2.1
underground express	9.1.7
underground openings	9.1.6
underground space	9.1.1
underlying layer	7.1.15
underpinning	6.1.7
undisturbed soil sample	3.4.11
uniaxial compression deformation test	4.4.31
uniaxial compressive strength	4.4.16
uniformly distributed load	5.2.5
unit weight	4.2.4
unloading	10.3.4
unreinforced spread foundation	7.1.3
unsaturated soil	4.2.12
unsaturated soil mechanics	2.0.5
unstable rock	11.3.12
unsymmetrical pressure	9.2.17
uplift pile	7.4.5
uplift pressure	5.2.57
upstream embankment method	8.2.16
urban underground space	9.1.2
utility tunnel	9.1.8

V

vacuum preloading	6.4.5
vane shear test (VST)	3.5.6
vertical shaft (shaft)	9.2.5
vibro-compaction	6.3.6
vibro-densification (compaction)	6.1.3

vibro-flotation 6.3.3
void ratio 4.2.8
volume shrinkage ratio 4.2.78
volumetric strain 5.2.21

W

water bearing capacity 3.3.21
water content 4.2.2
water content of rock 4.4.5
water head 3.3.14
water in Karst cave 3.3.7
water injection test 3.5.17
water retaining capacity 3.3.20
water-absorption of rock 4.4.6
waterproof curtain 9.3.5
wave velocity testing 3.5.13
weak intercalation 4.3.13
weak structural plane 4.3.12
weathered rock 3.2.10
weathered zone 3.2.51
wedge failure 10.1.13
well point dewatering 8.2.12
well-graded soil 4.1.18
wharf (quay, pier) 12.2.5
woven geotextile 6.9.3

Y

yield 5.2.37
yield surface 5.2.38

本标准用词说明

1 为便于在执行本规范条文时区别对待,对要求严格程度不同的用词说明如下:
 1)表示很严格,非这样做不可的:
  正面词采用"必须",反面词采用"严禁";
 2)表示严格,在正常情况下均应这样做的:
  正面词采用"应",反面词采用"不应"或"不得";
 3)表示允许稍有选择,在条件许可时首先应这样做的:
  正面词采用"宜",反面词采用"不宜";
 4)表示有选择,在一定条件下可以这样做的,采用"可"。

2 条文中指明应按其他有关标准执行的写法为:"应符合……的规定"或"应按……执行"。

引用标准名录

《建筑地基基础设计规范》GB 50007—2011
《岩土工程勘察规范》GB 50021—2001(2009 年版)
《土工试验方法标准》GB/T 50123—1999(2008 年 6 月确认继续有效)
《土的工程分类标准》GB/T 50145—2007
《工程岩体分级标准》GB 50218—2014
《工程岩体试样方法标准》GB/T 50266—2013
《岩土工程基本术语标准》GB/T 50279—1998
《水力发电工程地质勘察规范》GB 50287—2006
《土工合成材料应用技术规范》GB 50290—1998
《建筑边坡工程技术规范》GB 50330—2002
《水利水电工程地质勘察规范》GB 50487—2008
《岩土工程仪器基本参数及通用技术条件》GB/T 15406—2007
《土工合成材料测试规程》SL 235—2012
《土工试验规程》SL 237—1999
《水利水电工程地质观测规程》SL 245—2013
《水利水电工程天然建筑材料勘察规程》SL 251—2000
《水利水电工程岩石试验规程》SL 264—2001
《水利水电工程地质测绘规程》SL 299—2004
《水利水电工程施工地质勘察规程》SL 313—2005
《水利水电工程水文地质勘察规范》SL 373—2007
《水工挡土墙设计规范》SL 379—2007
《水利水电工程边坡设计规范》SL 386—2007
《水电水利工程钻孔土工试验规程》DL/T 5354—2006

《水电水利工程岩体应力测试规程》DL/T 5367—2007
《水利水电工程岩石试验规程》DL/T 5368—2007
《公路土工试验规程》JTG E40—2007
《港口岩土工程勘察规范》JTS 133—1—2010
《航道工程地质勘察规范》JTS 133—3—2010
《港口工程地基规范》JTS 147—1—2010
《建筑岩土工程勘察基本术语标准》JGJ 84—1992
《岩土工程勘察技术规范》YS 5202—2004
《生活垃圾卫生填埋技术规范》CJJ 17—2004
《生活垃圾卫生填埋场防渗系统工程技术规范》CJJ 113—2007
《生活垃圾渗沥液处理技术规程》CJJ 150—2010
《生活垃圾填埋场渗滤液处理工程技术规范》HJ 564—2010

中华人民共和国国家标准

岩土工程基本术语标准

GB/T 50279 - 2014

条 文 说 明

修 订 说 明

《岩土工程基本术语标准》GB/T 50279—2014，经住房城乡建设部2014年12月2日以第593号公告批准、发布。

为便于广大设计、施工、科研、学校等有关单位人员在使用本标准时能正确理解和执行条文规定，《岩土工程基本术语标准》编制组按章、节、条顺序编制了本标准的条文说明，对条文规定的目的、依据以及执行中需注意的有关事项进行了说明。但是，本条文说明不具备与标准正文同等的法律效力，仅供使用者作为理解和把握标准规定的参考。

目 次

1 总 则 …………………………………… (167)
2 一般术语 ………………………………… (169)
3 工程勘察 ………………………………… (171)
4 岩土基本特性与室内试验 ……………… (175)
5 基本理论与计算分析 …………………… (179)
6 岩土体加固与处理 ……………………… (180)
7 基础工程 ………………………………… (182)
8 土石方工程 ……………………………… (183)
9 地下工程与基坑工程 …………………… (184)
10 边坡工程 ………………………………… (185)
11 环境岩土工程 …………………………… (186)
12 近海与海岸岩土工程 …………………… (188)

1 总　　则

本标准是针对岩土工程的具有综合性和通用性的国家标准。

制订本标准的目的,是将与岩土工程紧密联系的,包括勘测、设计、施工、监测、检测及试验研究等基本术语,在一定范围内使其统一。少数术语,尽管在岩土工程界习用已久,但考虑其定名与其原技术含义不尽相符,容易产生误解,或与国家法定计量术语存在矛盾,在制订本标准时,经认真讨论,给予了正名。名词术语合理地规范化,有利于岩土工程领域的国内外技术交流合作。

出于完整、科学地将新理论、新技术及其他岩土工程热点问题(如环境岩土工程、近海与海岸岩土工程等)中的基本术语编制在现有标准中,并将已颁布标准中新的基本术语及时地编制到现有标准中,更好地与其他修订的标准相协调,以及将近年来国内外岩土工程中出现的各种新理论、新技术、新方法等基本术语及与其相对应的英文术语及时地补充、编制到标准中,科学、准确地体现我国在岩土工程领域的技术发展水平与现状,更好地促进国内外合作与交流,推动本行业技术发展等需要,在原标准 GB/T 50279—98 的基础上,修订本标准。

本标准参考采用了我国已有的和即将颁布的相关国家标准、行业标准和部分权威性的手册、词典等,也参考吸收了部分国外权威性标准。

本标准的章、节框架结构按照岩土工程本身的技术系统编制,而非按行业编制,因为不同行业中存在较多相同的工程,按照技术系统编制有利于避免重复。在每一章中,首先包含了高层次的、综合性的基本术语,根据需要延伸至两、三个层级。不过有的术语,例如岩土测试和计算中的某些术语,层次虽低,但使用频率较高,且有必要加以解释,也被纳入了词条,如应力路径等。原标准制订时,土工合成材料已是一种功能较多,在国外已应用较广,国内推广也较快,有广阔开拓前景的新材料、新技术,但当时国内岩土工程界不少人对其不熟悉,为了从一开始就统一理解,原标准中专门为其列了一节。本次修订时仍遵循此原则保留"土工合成材料"一节的设置,并补充和调整相关术语。另外,原标准制订时,环境岩土工程尚属一个新的学科分支,因其涉及内容界限不易准确确定,加之它与一般岩土工程内容交叉甚多,其有关术语未予列入。本次修订时,环境岩土工程领域经多年发展,已较为成熟和完善,故修订后独列为一章。与之情况类似的还有基础工程、近海与海岸岩土工程等。此外,如地震与振动等方面的术语已包含在其他一些标准和规范中,本标准修订时未予选列。本标准所列基本术语共计844条。

  对于每个术语的编写,首先在中文术语后附列相应的、通用的英文术语,继而针对该术语给出其定义或必要的解释,一般不作过多延伸。但对少数术语,或因其内容较复杂,或其含义易被误解,或为新概念等,故用较多文字加以解释。为便于读者检索,对所有术语分别按它们的拼音和对应英文术语的字母顺序编制了索引,见"中文索引"和"英文索引"。

  以下按章、节顺序对部分术语做必要说明。对一般性的、人们熟悉的、不会引起误解的术语,不做过多说明。

2 一般术语

"一般术语"这里指与岩土工程密切相关各领域内的一般性质的术语。这些领域内的术语与内容,读者一般较为熟悉,不存在什么争议,共 12 条。

为强调"基本术语"中的"一般性"特点,"一般术语"以较大技术领域或大学科层面的术语为主,从岩土工程宏观角度着眼,为避免释义的过度细化及争议,故删减或调整部分术语。与原标准 GB/T 50279—98 相比,删减术语"岩石工程"、"地震工程学"和"断裂力学",调整术语"块体理论"和"原型监测"至相应的章节中,增加术语"岩石力学"、"非饱和土力学"。

"岩土工程"geotechnical engineering(2.0.1)作为本标准中最基本的术语,有学者认为应对其释义按照其行业发展进行充实和补充,从行业发展看,这一主张是合理的。岩土工程是欧美国家于 20 世纪 60 年代在土木工程实践中建立起来的一种新的技术体制。地上、地下和水中的各类工程统称土木工程,土木工程中涉及岩石、土、地下水的部分被称为岩土工程,即在工程建设中有关岩石或土的利用、整治或改造的科学技术。"岩土工程"最主要的工程对象是岩石和土。出于保持与原标准 GB/T 50279—98 间的延续性,以及维持本标准的精练性、准确性的考虑,有关术语"岩土工程"的释义解释仍遵循原标准的表述。

"岩石力学"rock mechanics(2.0.3)一词曾有学者主张改为"岩体力学",从学科内容看,这一主张较为合理。但纵观国内外有关著作和书刊,称"岩石力学"的仍为主流;另外,若按此"土力学"也应改称"土体力学"等,这就会引起不必要的麻烦。

"环境岩土工程"geoenvironmental engineering(2.0.9)经多

年发展,已较为成熟和完善,根据现有水平,对该术语给出了新的定义和解释。环境岩土工程不同于传统的岩土工程,更加关注环境效应;同时也区别于一般的环境工程,是以岩土介质为载体,或具有岩土工程成因,或需要使用岩土工程技术来处理。

3 工程勘察

根据岩土工程实际情况,勘察工作应先于其他工作开展,保留"工程勘察"一章在本标准中的位置编排。本章共列入术语153条。

由河流作用形成的阶地仅列了"河谷阶地"一词,其他的如侵蚀阶地、堆积阶地、内叠阶地等次一级的术语不再列入。"地形",在测绘学中为地表起伏的形态(地貌)和位于地表的所有固定物体(地物)总称;在地理学中和地貌为同义词,故在本标准中未予列入。一般认为,普通地貌类型应按形态与成因相结合的原则划分,但由于地貌形态、地貌营力及其发育过程的复杂性,尚没有完全统一且被各方面认可的分类方案,一般采用形态分类和成因分类相结合的分类方法。地貌形态类型指根据地表形态划分的地貌类型。目前世界各地的形态类型划分也不统一。我国的陆地地貌习惯上划分为平原、山地、丘陵、高原和盆地五大形态类型。

由中国1:1 000 000地貌图编辑委员会审定的《中国1:1 000 000地貌图制图规范》(科学出版社1989年版)确定了平原、台地、丘陵和山地四个基本形态类型。在该形态分类中,将盆地和高原视为有关形态类型的组合。地貌成因类型依据其成因而划分,由于地貌形成因素的复杂性,目前也没有统一的成因类型划分方案。如根据外营力,可划分为流水地貌、风成地貌、黄土地貌、冰川地貌、冰缘地貌、海岸地貌等。根据内营力,可划分为大地构造地貌、褶曲构造地貌、断层构造地貌、火山与熔岩流地貌等。无论是外营力地貌还是内营力地貌,在动力性质划分的基础上,都可以根据按营力的从属关系和形态规模的大小,做进一步划分。比较完整的地貌分类系统,常常是既考虑外营力和内营力,又考虑形态及其规模的多级混合分类系统。另外,根据实际需要,还可以进行专门的地貌分类,以及直接为工程生产服务的应用地貌分类等。

"平原"plain(3.1.3),根据平原的高度,海拔低于海平面的内陆低地,被称为洼地;海拔0~200m的被称为低平原;海拔200m~500m(或600m)的平原被称为高平原。特殊的,第二级阶梯和第一级阶梯上的平原,虽然海拔在1000m~3000m间,习惯上仍称其为平原,而不叫高原,如宁夏平原、河套平原。

"冲积扇"alluvial fan(3.1.9)和"洪积扇"proluvium fan(3.1.10)是河流或山谷出口处重要的区域地貌类型,两者间存在相似之处,但在地貌成因上存在较大区别,表现在成因和特征两方面即为"是否经过水力分选作用"和"物质组成的分选性差异",故因成分复杂、分选不一,在"洪积扇"的术语解释中,强调了"其组成物质分选性差"的特征。

岩、土是构成地壳的基础物质。当地壳经受内外应力作用,岩土体将产生褶曲、断裂等构造。随时间推移,岩土体不断产生风化、侵蚀、溶蚀和搬运再沉积等一系列的地质循环作用。由于成因不同,形成了常见的各种土类和一些特殊土类。原标准GB/T 50279—98中"3.2 岩土、地质构造、不良地质现象"一节中包括"不良地质现象",修订后将与"不良地质现象"有关的术语调整至"环境岩土工程"一章中的"不良地质作用"一节中。并调整"岩体基本质量"等与岩土体基本特性有关的术语至"岩土基本特性与室内试验"一章中的"岩石的基本特性与试验"一节中。

"岩石"rock(3.2.3),天然形成的具有一定结构构造的单一或多种矿物或碎屑物的集合体。因砾岩作为岩石的一种,既不是单一矿物的集合体,也不是多种矿物的集合体,而是岩石碎屑物的集合体,故"岩石"应包括"碎屑物"的集合体。

"活断层"active fault(3.2.48),目前仍在活动或晚更新世以来曾有过活动,未来一定时间内仍有可能发生活动的断层。有关活断层活动的地质时期在不同行业中存在不同的界定,如水电行业中规定为晚更新世,即距今10万～15万年,另外,也有认为其活动地质时期应为全新世的观点。

涉及岩土工程的水文地质问题甚多,例如,地下水位高低影响基础埋深的合理选择、施工开挖方法和岩土坡稳定性;水位升降会影响地基承载力和沉降量等;为了满足工程选址、结构设计和施工设计等任务的需要,应进行不同程度、不同内容的水文地质勘查,以查明建筑场地的地下水类型、埋藏条件和变幅、补给和流向、土层保水性、有关水文地质参数和水质评价;为防止和消除地下水对工程和环境的危害以及工程和环境对地下水的影响,需要设置必要的地下水动态观测。本标准修订后,仍保持原标准GB/T 50279—98的编制原则,仅列入与岩土工程相关的术语。调整有关监测、观测的术语至相应的节。

原标准GB/T 50279—98中列入了由地表水和地下水作用在可溶盐岩石地区形成的"喀斯特地貌",而如石林、石牙、孤峰等与"喀斯特"有关的次一级术语未予列入。"喀斯特"是前南斯拉夫西北部伊斯特拉半岛上的碳酸盐岩石高原地名,那里发育有典型岩溶地貌。"喀斯特"Karst一词在国际上较为通用。1966年,我国第二届岩溶学术会议正式确定将"喀斯特"一词改为"岩溶"。"岩溶"作为一种地质现象和地形形态的总称,修订时不再采用"喀斯特地貌"这种命名方式,其汉语术语直接采用"岩溶"一词,英文术语遵循国际惯例"Karst"。

将原标准GB/T 50279—98中"3.5 勘察方法及设备"一节调整为"3.4 勘察方法"。原标准GB/T 50279—98中"3.5 勘察方法及设备"一节,设备方面术语很少,亦无需新增更多设备方面的术语以定义解释,故本节名仅采用"勘察方法",更加突出重点。

将原标准GB/T 50279—98中"3.6 原位试验与现场观测"一节调整为"3.5 原位试验"和"3.7 现场监测与检测"两节。原位测试包括常见的同时也是主要的各项现场测试,如静力触探试验、标准贯入试验、十字板剪切试验等土工测试。对于岩体则列有应力解除法、应力恢复法、波速测试等原位测试项目。抽水试验、压水试验等是测定水文地质参数的原位测试项目。

将原标准 GB/T 50279—98 中"3.4　勘察阶段、成果及评价"一节调整为"3.6　勘察成果与评价"一节。将原标准 GB/T 50279—98 中"3.6　原位试验与现场观测"一节有关现场监测及观测的术语与新增术语组成"3.7　现场监测与检测"。现场监测方面,列出了监测岩体和土体中应力、孔隙水压力和水位、变形和位移等内容有关的常见术语。

4 岩土基本特性与室内试验

本章列入土的组成与分类、岩体结构、土和岩石基本的物理及力学特性、测试技术方面的术语共183条。

岩土工程中涉及土方工程的术语相对较多,加之土和岩石的性状、试验方法和分析手段等方面有众多相同或相似之处,故在术语编排顺序上,以涉及土的内容居先,为岩石独有的,方列入岩石一节。另外,土和岩石测试方法有的比较简单,故将其某性状的定义、解释、试验和指标等合并在一个术语内编写,如"含水率"、"土粒比重"、"孔隙率"等。而一些较为复杂的术语,则将其定义、试验等术语按顺序逐条编写,如"固结"、"固结试验"、"压缩系数"等。修订中,补充完善了与岩石(岩体)有关的基本术语。

为与现行国家标准相对应,粒组界限和土的基本工程分类(4.1.10～4.1.34)一系列术语在遵循原标准 GB/T 50279—98 的基础上,均按现行国家标准《土的工程分类标准》GB/T 50145—2007、《岩土工程勘察规范》GB 50021—2001(2009 年版)、《建筑地基基础设计规范》GB 50007—2011 中的相关规定编写,具体可参阅上述标准。

"吸着水"absorbed water(4.1.9),在国内外书刊中,常见有"吸着水"或"吸附水"(absorbed water 或 absorption water),均指由于矿物颗粒表面作用力而被吸附在其表面的水。前者是国内的两种说法,后者则为国外的不同说法。本标准将其统一为"吸着水"。

"级配"gradation(4.1.17),土料按颗粒粗细的不同,将粒径相似、工程性质相近的颗粒划分为若干个粒组,土中各粒组的相对含量即为土颗粒的级配,是以不均匀系数 C_u 和曲率系数 C_c 来评价构成土的颗粒粒径分布曲线形态的一种概念。

"含水率"water content(4.2.2)曾长期被称为"含水量",实际上含水率表示"土中水的质量与土颗粒质量的比值",以百分率表示,为相对含量,称"含水率"更为合理,避免引起歧义。

"重度"unit weight(4.2.4),即重力密度或容重。"容重"是岩土工程原有的基本术语,应用多年。原标准 GB/T 50279—98 中"容重"定义为"单位体积土的重量"。长期以来,人们对"重量"一词是代表质量多少,还是受地球引力的大小持有疑义,也未加以区分。1984 年,国家法定计量单位颁布实施,《力学的量和单位》GB 3102.3—86 中 3.1.1 重量的名称备注:"人们生活和贸易中,质量习惯称为重量,表示力的概念时应称重力"。并建议物理学界不要把"重量"一词代替"重力",这就意味着原"容重"术语中"重量"一词的使用并不准确。《中国土木建筑百科词典》(中国建筑工业出版社,1999 年)将土的容重又称为土的重力密度,简称土的重度,容重为其旧称,定义为单位体积土的重量 $\gamma(kN/m^3)$,也可称单位体积岩土材料受到的重力(kN/m^3),从其量纲可知,重度、重力密度、容重均表示为力的概念。根据工程力学分析,在这里"重量"一词不表示质量,而是表示重力。修订后,将术语"容重"规范表达为"重度",即重力密度,不再推荐使用术语"容重",指"单位体积岩土体岩土材料受到的重力"。

"土粒比重"specific gravity of soil particle(4.2.5)为土颗粒在 105℃～110℃烘至恒量时的质量与同体积 4℃纯水质量的比值。原标准 GB/T 50279—98 中术语"土粒比重"定义为"土颗粒的重量与 4℃蒸馏水的重量的比值",此处又出现了"重量"这一不准确表达。现行国家标准《土工试验方法标准》GB/T 50123—1999 和现行行业标准《土工试验规程》SL 237—1999,均定义为"土颗粒在 105℃～110℃烘至恒量(行业标准 SL 237—1999 中为恒质)时的质量与同体积 4℃纯水质量的比值"。为了更好地与其他修订后的现行国家标准相协调,体现土工试验方法及规程的标准化和规范化,避免使用"重量"一词,修订后,"土粒比重"定义为

"土颗粒在105℃～110℃烘至恒量时的质量与同体积4℃纯水质量的比值"。原标准GB/T 50279—98中关于"土粒比重"定义为"重量比(即重力比)",现行国家标准《土工试验方法标准》GB/T 50123—1999和现行行业标准《土工试验规程》SL 237—1999关于"土粒比重"的定义均为"质量比"。由于重力加速度随位置不同而变化,因此采用"质量比"相对"重量比(即重力比)"更为科学、准确。对同一地点而言,重力加速度相同,"质量比"等于"重量比(即重力比)"。

"液限"liquid limit(4.2.14),有关液限的试验标准解释为:液限是试样从牛顿液体(黏滞液体)状态变成宾哈姆体(黏滞塑性)状态时的含水率,在该界限值时,试样出现一定的流动阻力,即最小可量度的抗剪强度,理论上是强度"从无到有"的分界点。这是采用各种测定方法等效的标准。根据现行国家标准《土工试验方法标准》GB/T 50123—1999规定,土的液限是用质量为76g、锥尖角为30°的锥体液限仪测定,取锥尖入土深度为17mm时的含水率为液限,并认为它和碟式仪测液限时土的不排水抗剪强度是等效的。有关液限、塑限等界限含水率试验测试方法可参考现行国家标准《土工试验方法标准》GB/T 50123—1999。

"塑性图"plasticity chart(4.2.21),卡沙格兰地塑性图中土的液限由卡氏碟式液限仪测得。我国现行的液限是以重76g、锥角30°的圆锥贯入仪测定的,但存在两个液限标准。一个是以锥头入土深度为17mm时土的含水率作为液限,另一个则取入土深度为10mm。水利部规范组曾按强度等效原则,进行了碟式仪、圆锥贯入仪和小型十字板仪的比较试验,论证了上述17mm的液限相当于碟式仪液限,因此若土的液限是由圆锥贯入仪的17mm入土深度时的含水率确定,则土分类时可直接采用卡式塑性图。如取10mm时的含水率为液限,则应采用修正塑性图,它是根据碟式仪和圆锥贯入仪10mm液限的大量统计关系,经换算而得的塑性图。

"黏聚力"cohesion(4.2.62)，该术语存在多种叫法：凝聚力、黏结力、内聚力、黏聚力等，其实际含义相同，经研究，建议统一采用"黏聚力"这一术语。

"湿陷性"collapsibility(4.2.83)、"湿陷变形"collapse deformation(4.2.84)等与"湿陷性"有关的术语(4.2.83～4.2.86)以黄土类土为典型代表，并从黄土类土的形状及相关试验中所得。随着工程技术领域的深入和扩展，其他某些类土也具有湿陷性，本次修订时在其术语解释中不做过多提及。

"三轴伸长试验"triaxial extension test(4.2.94)，在本试验中，试样发生轴向伸长变形，但实际上三个主应力均为压应力，其术语为"伸长试验"较"拉伸试验"更为合理。

"岩石分类"rock classification(4.3.2)，具体分类参阅现行国家标准《工程岩体分级标准》GB 50218—1994。

"岩体基本质量"rock mass basic quality(4.4.29)术语由现行国家标准《工程岩体分级标准》GB 50218—1994 中提出，由岩石坚硬程度和岩体完整程度两个因素确定，将岩体按其完整程度和坚硬程度的定性与定量指标综合评价分为五级，质量最高时 BQ>550，定为Ⅰ级；最低时 BQ≤250，定为Ⅴ级。岩石坚硬程度和岩体完整程度的定量指标分别采用岩石单轴饱和抗压强度 R_c 和岩体完整性指数 K_v。工程岩体分级采用定性与定量相结合的方法，分两步进行，先确定岩体基本质量，再结合具体工程特点确定岩体级别，具体评价方法参阅现行国家标准《工程岩体分级标准》GB 50218—1994。

5 基本理论与计算分析

本章列入岩土工程基本理论和计算分析方面的术语,共84条。

有关"基本理论"、"计算分析"两方面的涵盖范围和相互关系较为模糊,两者间多存在交叉之处,故在修订编制时根据术语的实际含义及应用情况列入。某些术语虽名为理论,但实际中多应用于计算分析,故列入"计算分析"一节中。

修订后,删减如"基底反力"、"沉降差"、"色卢铁解答"、"压力泡"、"感应图"等与现阶段技术理论水平发展不协调,或意义不大,或不再适合作为基本术语列入的术语。

"太沙基固结理论"Terzaghi's consolidation theory(5.1.1),一般指其一维固结理论,是在假设一点的总应力不随固结而改变的条件下获得的固结微分方程,故不出现曼代尔效应,常被称为"拟三维固结理论",以区别于比奥三维固结理论。

根据国内行业翻译习惯,将原标准 GB/T 50279—98 中"兰金土压力理论"修改调整为"朗肯土压力理论"Rankine's earth pressure theory(5.1.9)。

作为计算分析的基本理论与方法,将"总应力分析"、"有效应力分析"分别修改调整为"总应力法"total stress analysis(5.1.13)和"有效应力法"effective stress analysis(5.1.14)。

6 岩土体加固与处理

本章列入与岩土体加固与处理有关的基本术语，主要包括置换、振密、挤密、排水固结、灌入固化物、加筋、托换、纠倾、复合地基、土工合成材料和岩土锚固几个方面的内容，共 87 条。

土工合成材料经多年推广，已得到广泛应用，已从"不少岩土工程师较为生疏的领域"逐渐成为一种专门的、较为成熟的岩土体加固处理方法。本标准中针对性的列入几种主要材料和个别有关其特性的基本术语，有关材料测试、设计和施工等方面更为详细或低层次的术语未予列入，可参阅相关现行国家及行业标准。

"加筋土"reinforced earth(6.6.4)，20 世纪 60 年代由法国工程师维达尔(H. Vidal)发明的加筋土，是在土中放置金属条带(一般呈水平方向)，依靠金属条带与土间的摩阻力，限制土体侧向位移，从而提高土强度。经多年发展，已愈来愈多地采用编织型土工织物、加筋带或土工格栅等土工合成材料来代替原先的金属条带，有着抗腐蚀性强、与土之间有较高的摩阻力、易于消散土中孔隙水压力、改善土体强度等显著优点。

"土工合成材料"geosynthetics(6.9.1)，修订中将其定义为"工程建设中应用的土工织物、土工膜、土工复合材料和土工特种材料的总称"，是在工程建设中应用，以人工合成的聚合物为原料制造的土工织物、土工膜、土工复合材料和土工特种材料的统称，主要是以高分子聚合物制成的用于工程建设的各种产品。早期的产品基本上是先将聚合物制成纤维或条带，然后制成透水的土工织物，包括有纺(织造型)、无纺(织造型)织物。随着工程需要和材料制造工艺的提高，新产品层出不穷，生产出了如土工模袋、土工格栅、土工席垫、不透水的土工膜以及由它们合成的复合材料。这样,原先的"土工织物"一词已不能概括所有产品,国际土工织物学会(IGS)曾称其为"土工织物、土工膜和相关产品",更多人主张采用"土工合成材料"。国际学会也已改名为"国际土工合成材料学会"(IGS,这里的"G"是将原来的 geotextile 改为 geosynthetics)。

7 基础工程

本章列入岩土工程领域中与地基及基础工程有关的基本术语,共 57 条。

修订时,本章补充修编了涉及地基及基础工程的相关术语,属新增内容。增编的基本术语主要分为"基础类型"、"扩展基础"、"筏形基础和箱形基础"、"桩基础"四个部分。

"基础类型"涵盖了基础工程中所涉及的几种主要类型,如"无筋扩展基础"unreinforced spread foundation(7.1.3)、"扩展基础" spread foundation(7.1.4)及"桩基础"pile foundation(7.1.7)等基本术语。在基本类型划分的基础上,从"扩展基础"、"筏形基础和箱形基础"及"桩基础"几个主要类型方面,增编了相应的基本术语。

"持力层"bearing stratum(7.1.14)、"下卧层"underlying stratum(7.1.15)在原标准 GB/T 50279—98 中曾被列入"分析与计算"一节中,根据本次修订工作原则,列入本章。

8 土石方工程

本章列入水利工程、铁路工程、公路工程及港口工程等行业中与土石方工程有关的基本术语,主要包括土工构筑物及其主要构件,以及简要列出了土石方施工技术与方法,共 79 条。

修订后,本章编排结构调整为"土工构筑物"和"施工技术与方法"两部分。在"土工构筑物"中,坝与堤是最常见的土石方工程,故较多术语是各种类型的坝及其细部构件。另外,在"施工技术与方法"中,主要列入如填筑、降水和排水等有关术语。

调整、删减"取土场"、"斜墙"等术语。

9 地下工程与基坑工程

本章列入与地下工程及基坑工程有关的基本术语,主要包括地下空间、地下工程及基坑工程三方面内容,共 61 条。

本章主要修编原标准 GB/T 50279—98 中"地下工程和支挡结构"一章涉及地下工程方面的基本术语,并新增与隧道工程、基坑工程、矿井工程等地下空间有关的基本术语。因地下工程施工存在其特殊性,为使其与"土石方工程"中的"施工技术与方法"相区别,补充列入针对地下工程施工领域相关的术语。更为详细或低层次的术语未予列入,可参阅相关国家及行业标准,如《公路隧道设计规范》JTG D70—2004、《基坑工程技术规范》DG/T J08—61—2010、《地铁设计规范》GB 50157—2003 等。

"地下空间"一节侧重于地下工程的使用功能,其中也包括施工期临时使用所需的地下空间。

"地下工程"一节列入常见的地下工程类型及其施工中较为常用且具有一定代表性的技术与方法的基本术语。

10 边坡工程

本章列入与边坡工程有关的基本术语,包括边坡及破坏形式、边坡稳定性分析、边坡设计与加固、边坡监测与预报四方面内容,共58条。

本章补充修编了涉及边坡及其支护的相关术语,增编与"边坡及其破坏形式"和"边坡稳定性分析"相关的基本术语,并将原标准GB/T 50279—98中"地下工程和支挡结构"一章涉及挡土墙部分的术语列入"边坡设计与加固"中。随着边坡安全监测及预报技术的发展,修订新增了有关"边坡监测与预报"方面的术语。

11 环境岩土工程

本章列入与环境岩土工程和地质灾害有关的基本术语,共43条。

本章将环境岩土工程的概念界定为由岩土工程活动引起(或需要采用岩土工程技术进行处理)的环境问题,具体涉及污泥与污染土(包括污泥处置与污染土修复技术)、固体废弃物处理、危险性废物处置、矿山环境与尾矿治理等方面。不良地质作用主要列入崩塌、滑坡和泥石流等地质灾害,火山、地震等自然因素引起的地质灾害则不作过多列入。

"渗沥液"leachate(11.2.5),《生活垃圾渗沥液处理技术规程》CJJ 150—2010、《生活垃圾卫生填埋场防渗系统工程技术规范》CJJ 133—2007 及《生活垃圾卫生填埋技术规范》CJJ 17—2004 中均命名为"渗沥液",而在《生活垃圾填埋场渗滤液处理工程技术规范》HJ 564—2010 中名为"渗滤液",本标准中采用"渗沥液"这一术语。

"衬里系统"liner system(11.2.8),《生活垃圾卫生填埋技术规范》CJJ 17—2004 中将"liners"译作"衬里",而《生活垃圾卫生填埋场防渗系统工程技术规范》CJJ 113—2007 中将"liner system"译作"防渗系统",部分文献中翻译为"衬垫"。本标准修编时称其为"衬里"。

"不良地质作用"adverse geological process(11.3.1),将原标准 GB/T 50279—98 中的术语"不良地质现象"adverse geologic phenomena 修订为"不良地质作用",相应英文术语修改为 adverse geological process。原标准 GB/T 50279—98 中称其为"不良地质现象"。根据现行国家标准《岩土工程勘察规范》GB 50021—

2001:"现象只是一种表现，只是地质作用的结果。勘察工作应调查研究的不仅仅是现象，还包括其内在规律"，故改为"不良地质作用"。

"土洞"soil cave(11.3.5)，一般多指岩溶地质的情况，但有些黄土塬上的土洞、落水洞，并无可溶岩发育。特殊情况，如福建周宁水电站花岗岩中深达百米的全风化体中发现有土洞，广西百色水利枢纽埋深数十米的风化硅质岩条带也发现有土洞。

12　近海与海岸岩土工程

本章列入与近海及海岸岩土工程有关的基本术语,共 27 条。

本章补充修编了涉及近海与海岸岩土工程的相关基本术语,为新增内容。修订时增编的基本术语主要分为"近海与海岸地质、地貌"和"近海与海岸构筑物"两部分。更为详细或低层次的术语未予列入,可参阅相关国家及行业标准。

"近海与海岸地质、地貌"包括近海与海岸岩土工程所涉及的有关地质、地貌的常用术语。

"近海与海岸构筑物"列入近海与海岸岩土工程中最常见的构筑物及结构实体等常用术语。